Powys
37218 00458972 2

I bobl Llŷn: mewn gwerthfawrogiad o'r gwerthoedd ddoe a'r asbri heddiw

CYNNWYS

Llun: Iolo Penri

Braich Porth Neigwl a Thrwyn Cilan trwy gil y ffenestr.

CYFLWYNIAD

Wrth fynd ati i ffilmio cyfres deledu o'r newydd, rhyw obeithio mae rhywun i wireddu syniad sydd wedi bod yn ffrwtian yn y dychymyg, weithiau am flynyddoedd. Ac mae angen sawl peth i wneud cyfres gofiadwy.

Gyda chyfres 'Pen Llŷn Harri Parri' ar gyfer S4C, roedd angen tywydd ffafriol, straeon a chymeriadau cofiadwy, person camera talentog, ac wrth reswm, fel mae'r teitl yn ei awgrymu...Harri Parri ei hun.

Os am lwyddo roedd brwdfrydedd ac ymroddiad Harri i'r gyfres o'r cychwyn yn mynd i fod yn allweddol, a chafon ni mo'n siomi. Yn wir, gwnaeth y gwaith yn brofiad i'w drysori. Agorodd ein llygaid i gyfoeth diwylliant, hanes a chwedloniaeth y penrhyn, i gyd yn ei ddull diymhongar, ffraeth gan gynnwys dogn iach o'i hiwmor cynnil.

Mae harddwch naturiol Llŷn yn amlwg i bawb. Ond i Harri, ni fyddai Pen Llŷn yn ddim heb ei phobl ac fel yn y gyfres deledu, Llŷn ni'r Cymry a geir rhwng cloriau'r gyfrol arbennig hon. Os oedd golygfa drawiadol yn disgwyl y criw ffilmio, yna rownd y gongl nesa roedd 'na stori hefyd i'w chlywed a chymeriad arbennig i'w hadrodd, ac roedd pawb yn nabod Harri ac yn barod i gyfrannu.

Gwn y bydd Harri yn mynnu mai ymdrech tîm oedd creu'r gyfres deledu ond lluniau'r gŵr camera Mike Harrison a geiriau Harri Parri yn unig a geir yma, ac ychydig linellau o farddoniaeth wedi eu hysbrydoli gan Ben Llŷn. Dawn llygad a dawn dweud yn cyfuno i agor cil y drws rhyw ychydig ar un o fannau mwyaf godidog ac unigryw Cymru – Penrhyn Llŷn.

Dylan Huws
Cyfarwyddwr, Cwmni Da

LLŶN A'R MÔR

Ar Benrhyn Llŷn does neb byth ymhell iawn o'r môr. Mae o'n golchi traed y pentir i ba gyfeiriad bynnag yr edrychwch chi. Yn blentyn, mi fyddai'r môr yn codi arswyd arna i; gorwedd yn fy ngwely ar noson o niwl i weld golau Enlli yn fflachio drwy'r caddug a hynny gyda chysondeb bygythiol. Yna'r corn niwl hwnnw'n brefu'r naill dro ar ôl y llall fel buwch wedi colli'i llo. Wedi inni symud ardal, clywed Porth Neigwl y byddwn i – cyn imi erioed ei weld o nac ymdrochi yn ei donnau – yn griddfan ar ei wely pan fyddai hi'n dywydd drwg. Yn wir, mae'r môr wedi siapio bywyd pobl Pen Llŷn dros y canrifoedd ac yn dal i wneud hynny. Unwaith, y môr oedd y dull hwylusaf o ddigon i gyrraedd neu i adael y penrhyn.

Ar ei waethaf mae'r môr yn lleidr, ac ar ei orau mae o'n gymwynaswr. Bu'n gymwynaswr hael i Ben Llŷn cyn belled ag mae masnach yn bod. Gyda'r holl draethau a chilfachau sydd o amgylch y penrhyn roedd yna gyfle ardderchog i allforio cynnyrch ac i fewnforio angenrheidiau byw. Ond bu'r llwybrau masnachol a agorwyd, hefyd, yn ddrws i bobl adael Llŷn wrth y cannoedd.

Tua 1825 ymfudodd hanner cant o bobl leol o Lŷn i America – rhai o'm hynafiaid innau yn eu plith – gan hwylio allan o Borth Colmon sydd ar yr arfordir gogleddol. Felly, dyma benderfynu dilyn peth o'r stori honno. Ond pan gyrhaeddais i Borth Colmon y bore Sadwrn hwnnw roedd y gwynt yn syth o'r môr a'r môr hwnnw'n gesig gwynion. Gyda'r fath dywydd, hawdd iawn oedd dychmygu'r awyrgylch ar ddiwrnod yr ymadael: tadau, mamau a phlant yn cofleidio'i gilydd; cariadon yn gwahanu byth eto i gwrdd. Bu sôn hir ym Mhen Llŷn am gyfarfod gweddi a gynhaliwyd ar y traeth cyn i'r llong godi angor.

Byddai'r llong honno, un leol, yn eu cario i Gaernarfon. Yn y fan honno,

byddai'n rhaid byrddio llong fwy a'u cludai nhw bob cam i America. Wedi cyrraedd y wlad well, fel y gobeithid, ei hunioni hi wedyn am Remsen neu Steuben yn Nhalaith Efrog Newydd ble roedd gan rai deulu'n eu disgwyl. Fe allasai taith fel hon gymryd chwe mis ond naw wythnos fu'r hanner cant yma ar y môr a phawb, diolch am hynny, yn goroesi. Ymfudo fu hanes cannoedd ar gannoedd o deuluoedd Pen Llŷn o ddechrau'r ddeunawfed ganrif ymlaen.

Wedyn, mi fûm i'n brwydro cerdded allt y môr yn erbyn y gwynt a John, o'r ddeuawd canu gwlad boblogaidd, John ac Alun, yn gwmni i mi. Roedd ei dad o, y diweddar Gwilym Jones, yn hanesydd lleol ac yn un a fu'n ymchwilio i hanes yr ymfudo. Mae John, fel ei dad, yn gwybod cryn dipyn am yr hanes. A dyma ofyn iddo beth fyddai wedi symbylu'r hanner cant i adael Llŷn?

'Rhenti uchal gin y landlordiaid ac wedi clywad yr hanas, wrth gwrs. Roedd 'na rai wedi mynd allan o'u blaenau nhw.'

'Eto, be sy'n ddirgelwch i mi ydi hyn. Rhaid eu bod nhw'n talu am eu pasej, doeddan, ac eto roeddan nhw'n bobol dlawd.'

'Wel yn ôl yr hanas, o'r hannar cant roedd yna bedwar ohonyn nhw hefo'r arian i dalu am 'u taith. A'r stori ydi fod ar y gweddill ohonyn nhw arian, wedyn, i'r captan. Roedd yna ryw amodau rhyngddyn nhw a'r captan. Roeddan nhw'n gorfod gweithio ar y llong. Ond dim yn unig hynny, unwaith roeddan nhw wedi cyrradd pen y daith oeddan nhw mewn dylad wedyn am y ddwy flynadd oedd i ddŵad.'

'Ac i mi, un o'ch caneuon mwya cofiadwy chi ydi, Gadael Llŷn.'

'Ia, cân Myrddin ap Dafydd. Un o fy ffefrynnau i,

> Mae 'na oriad yn yr Eglwys,
> Modrwy briodas tlodion plwy,
> Rhowch fo'n ôl yng nghist y clochydd;
> 'Fydd mo'i angen arnom mwy.

Rhaid bod yna rwbath yn 'u gyrru nhw, doedd?'

A dyna oedd y gwir. Does neb ar chwarae bach yn chwalu perthynas ac yn mentro i anwybod mawr heb fod yna rywbeth yn eu corddi nhw. Neu freuddwyd, wrth gwrs, am greu Pen Llŷn bach arall, esmwythach ei fyd, yn y Merica. Ar lawer cyfri dyna a ddigwyddodd. Yn yr un degawd yn union ag yr ymfudodd yr hanner cant o Borth Colmon, fe agorwyd capeli Cymraeg yn y wlad newydd yn dwyn enwau fel Penygraig, Penycaerau ac Enlli. Gyda'r blynyddoedd, pylu fu hanes y freuddwyd honno, ond mae olion y gymdeithas a sefydlwyd yno i'w gweld hyd heddiw.

''Lan Môr Bwlch' ym Morfa Nefyn a hithau'n llanw.

Un o'r llongddrylliadau enwocaf a fu oddi ar arfordir Llŷn oedd un y *Stuart*. Roedd yr hanes yn gystal deunydd nofel neu ffilm ag oedd *Whisky Galore*, heb sôn fod y ddau ddigwyddiad mor hynod o debyg i'w gilydd. Ond os na chafwyd nofel am helynt y *Stuart* fe ganodd bardd lleol, Gwilym y Rhos, faled feiddgar ddigon i'r llongddrylliad.

Fe hwyliodd y *Stuart* allan o Lerpwl am Seland Newydd fore Gwener y Groglith 1901 ond erbyn bore Sul y Pasg roedd hi'n sownd yng nghrafangau creigiau Porth Tŷ Mawr. Mae Tony Jones, o'r Rhiw, yn gwybod cymaint ag undyn am hanes y llongddrylliadau. Y fo a'i briod, Gwenllïan, sefydlodd *rhiw.com*, archif penigamp

Sgerbwd y *Stuart* ym Mhorth Tŷ Mawr â'r broc ar y creigiau. Llun: Tony Jones, *rhiw.com*

i chwilio hanes Llŷn a'r môr. Yn ôl Tony, nid tywydd eithriadol o stormus a yrrodd y llong i drafferthion ond, yn hytrach, nad oedd offer mordwyo heddiw ddim ar gael bryd hynny.

'Cargo cymysg oedd arni hi. Dyma ichi hwn, er enghraifft,' a chydio mewn jwg porslen, gweddol o seis, 'Ma' hwn o'r *Stuart*. Ac mi roedd 'na chwe grand piano arni. Ac mi frifodd un o hogia Llangwnnad' ei gefn wrth drio cario un i fyny allt môr.'

'Ac mi roedd 'na wisgi arni?'

'Dyna ble dechreuodd y sbort 'te? Cofiwch, doeddan nhw ddim yn gasgenni

PORTREAD

Harry Parry

Mi wyddwn oddi wrth y pefriad yn ei lygaid o y byddai direidi'n bosibl os nad yn debygol.

'Harry Parry?'

'Ia.'

'Harri Parri arall!' ac ysgwyd llaw. Roedd hi'n amlwg nad oedd ysgwyd llaw yn beth arferol pan fydd cwillwr ar fynd i godi'i gewyll a'r ymwelydd at ei bengliniau yn nŵr y môr. Gyda llaw, cwilla ydi'r gair yn Llŷn am bysgota cimychiaid.

Y bore hwnnw o Fehefin roeddwn i wedi trefnu i fynd allan o Borth Dinllaen hefo pysgotwr lleol. Wrth imi yrru i lawr ar hyd y B4417 i olwg Nefyn roedd hi'n edrych yn dywydd gweddol er bod yna gesig gwynion yn y môr. Wedi mynd allan o'r harbwr roedd hi'n stori wahanol a'r cwch yn rowlio'n feddw.

O ran ein maintioli roedden ni'n dau tua'r un seis. Hyd y gwyddwn i, dyna oedd yr unig debygrwydd. Roedd o yn ystwyth fel walbon – a defnyddio un o idiomau morwrol Llŷn – wyneb o dderw golau, o fod allan ymhob tywydd, ac yn llongwr wrth reddf. Pan oeddwn i'n cael fy mwrw o'r naill ochr i'r llall i'r cwch roedd yr Harry arall yn cadw'i draed fel cath ar rew.

'Harry, wyt ti'n medru nofio?' Wedi'r cwbl, roedd gen i wregys achub ond hyd y medrwn i weld doedd gan y pysgotwr yr un.

'Medra.'

‘Ond mae ’na bysgotwrs sy ddim yn medru.’

‘Call iawn faswn i’n deud.’

‘Pam?’

‘Pa iws fasa nofio’r tywydd yma? Mi fasa oerni yn dy ladd di cyn iti foddi.’ Gofynnwch chi gwestiwn gwirion, a dyna chi.

Adeiladydd oedd Harry hyd nes i alwad y môr fynd yn drech nag o ac iddo yntau droi hobi’n fywoliaeth.

Wedi i’r jib, ar flaen y cwch, godi cawell o’r dyfnder roedd yno un cimwch, a chranc llawer rhy fach i gydymffurfio â’r safonau. A dyma Harry’n rhoi ffling i hwnnw’n ôl i’r môr a rhoi band lastig am fodiau’r cimwch.

Â’r cwch bellach yn tindroi yn ei unfan roedd hi’n haws sgwrsio heb wichian gweiddi, ‘Be fydd yn digwydd i’r cimwch yma?’

‘‘Peth tebyca ydi bydd hwn yn mynd i Ffrainc neu i Sbaen.’

‘Be fasa gwerth hwn ym Mharis?’

‘Sgin i ddim syniad. Tua deg gwaith be ydw i’n gael amdano fo.’

Wedi rhoi ordors imi roi pennog arall yn y tiwb, yn abwyd, dyma ollwng y cawell yn ôl i’r eigion a’i throi hi am y lan.

‘Mwynhad ta be ydi’r gwaith yma?’

‘Wel, mwy o fwynhad na phan o’n i’n gweithio beth bynnag.’ Roedd hi’n amlwg felly bod cwilla’n bleser i Harry yn gymaint â gwaith. ‘Yn wahanol i fildio, does neb yn cwyno hefo chdi yn fama beth bynnag. A dyma iti bresant!’

Yn ginio imi, fe aeth tafarnwraig Tŷ Coch ati i ferwi’r cimwch hwnnw. Ond erbyn hynny roedd y pysgotwr wedi mynd yn ôl i godi gweddill ei gewyll. O gofio’r pefriad yn y llygaid, sgwn i oedd o wedi rhoi’r cimwch a’r mymryn cranc yn y cawell ymlaen llaw? Hysbyseb wael ar ffilm fyddai cawell gwag. A chyda llaw, mae ‘cael cawell’ yn idiom yn Llŷn am siwrnai seithug. Oedd, mi roedd yr Harry Parry arall yn ei medru hi.

mawr. Casgenni galwyn neu ddau oeddan nhw. A be oedd yr hogiau'n neud oedd cario'r casgenni i ben yr allt, ond tra roeddan nhw'n mynd lawr i nôl casgenni erill roedd pobol yn dwyn eu casgenni nhw. Be neuthon nhw i nadu hynny, oedd tynnu top y casgenni i ffwrdd a rhoi'u penna yn y gasgan. Ac wedyn fasa neb yn eu dwyn nhw, na fasa? Mi barodd y parti, fel dw i'n dallt, am dros chwe mis.'

'Fe ddwynwyd pob dim oedd ar y llong?'

'Ddim pob dim, dw i ddim yn meddwl. Roedd hi'n llong mil o dunelli. Dw i ddim yn meddwl y cafon nhw fawr mwy na hannar y llwyth. Ond ma' 'na ddigon o bethau o'r *Stuart* i'w gweld yma ac acw o hyd.'

Ym mhen draw Llŷn, mae yna o hyd dameidiau o'r llong yn cau adwyon, yn stanciau neu'n bostyn giât. O gerdded y tir a chadw fy llygaid yn agored roedd hi'n amlwg i mi fod pobl plwy Llangwnnadl wedi bod yn hynod o reibus. Ond dyna fo, doedd y *Stuart* bron ar y traeth, o fewn cerdded hwylus a'r criw'n awyddus i ad-dalu'r trigolion am eu lletygarwch.

Mae gan Ifan Parry sy'n byw ar gyrion Pwllheli – ac mae o ymhell dros ei ddeg a phedwar ugain – nid yn unig gelc o'r llong ond stôr o atgofion prin a glywodd gan ei dad. Ar y dresel roedd yna set o lestri cinio.

'Ydi rhein o'r llong?'

'Mae rheina o'r *Stuart*, garantîd ichi.'

A dyma fi'n mentro mymryn o dynnu coes, 'Sut caethoch chi nhw? Eu dwyn nhw?'

Daeth direidi braf i'w lygaid, 'Na. Oedd un o'r mêts yn lodjio, mwy ne lai, yn Nhy'n Ffynnon, cartra 'nhad. Mi fydda ar y llong drwy'r dydd a dŵad i gysgu'r nos i Dy'n Ffynnon ac mi fydda'n dŵad â chydig o dan ei gôt.' A dyma fo'n gwthio'i law dde o dan ei jersi i ddynwared y lladrata cymwynasgar hwnnw.

Y tro blaenorol y bûm i lawr ym Mhorth Tŷ Mawr roedd yna lwybr gweddol hawdd i'w gerdded yn arwain i'r traeth. Bellach, mae'r môr, i bob pwrpas, wedi bwyta'r llwybr hwnnw. Rhaid, hefyd, ei bod hi'n drai mawr bryd hynny oherwydd roedd darn da o gorpws yr hen long yn y golwg. A bryd hynny, roedd yna ddigon o ddarnau o lestri o'r llong i'w gweld yn gymysg â'r graean, ond fod y llanw wedi troelli rhai ohonyn nhw'n dameidiau llyfnion. Eto, o ddyfal chwilio mae yna dameidiau o'r llestri i'w cael o hyd. Ond fel mae perchnogion y tir, Julie a Bryn, yn gwybod mor dda mae yna fwy lawer na hynny ar gael pan fydd dyn yn gwybod ymhle i chwilio.

Hogyn o'r fro ydi Ioan Roberts a bu unwaith yn ymchwilio i hanes llongddrylliad y *Stuart* ar gyfer rhaglen yn y gyfres *Almanac*. O wrando atgofion rhai o bobl y fro bryd hynny, ei gred ydi fod yna gysylltiad rhwng y cargo a'r trychineb, 'Pedwar ar bymthag o hogia ifanc ar y llong yma, a miloedd o boteli

Iechyd da! Ioan Roberts a minnau â photeli wisgi 1901 – heb eu hagor!

wisgi. A neb i gadw golwg arnyn nhw.'

'Mewn geiriau syml, bod y criw wedi meddwi?'

'Ia.'

''Glywis i am hyd yn oed blant wedi meddwi.'

''Glywis i'r union stori yna gan un o'r hen bobol. Ac roedd yna sôn am ryw ferch ifanc wedi rhoi llond 'i blwmars o boteli, medda fo, ac yn methu cerddad. Wedi llwytho gormod.'

O'u cymharu nhw ag ynyswyr yr Hebrides Allanol, a stori *Whisky Galore*, doeddwn i ddim yn disgwyl y fath bas ar wisgi ar Benrhyn Llŷn bryd hynny.

Mae'n wir nad oedd Diwygiad 1904-5 i wawrio am dair blynedd arall ond roedd y Mudiad Dirwest ar ei orau. Roedd yna rai, yn ôl pobl y goets fawr, yn yfed yn syth o'r gasgen, eraill yn defnyddio un esgid yn gwpan ac eraill, o fethu â thynnu'r corcyn, yn torri gwddw potel yn erbyn y graig ac yfed ohoni, gwydr miniog neu beidio.

A dyma fi'n tynnu potel o wisgi'r *Stuart* allan o fag.

'Wel, wel!'

'Ioan, ma' hon o'r *Stuart*.'

'Wel, wel!' medda fo wedyn. Ond pan es i ati i ddangos fel roedd peth o'r stwff wedi egru hefo'r blynyddoedd dyma fo'n cael y blaen arna i, 'Ac wyt ti wedi yfad rhywfaint ohoni!' Doedd yna ddim ateb i sylw felna.

Stori anghyflawn iawn fyddai un Llŷn a'r môr heb imi gyfeirio at fadau achub. Fe gafodd hen daid imi, David Richards, ei gydnabod am hir wasanaeth hefo criw Bad Achub Abersoch. Do, mi gafodd dystysgrif sy'n dal i gael parch, a rhodd o ddeg punt – sydd wedi'i hen wario. Felly Abersoch amdani.

Pan gyrhaeddom ni Orsaf y Bad Achub roedd y cwch ar gael ei fwrw i'r dwfn. Ond wedi prysurdeb y lansio roedd yna gyfle imi gael sgwrs hefo'r Rheolwr, gŵr lleol, Gareth Hughes-Jones.

'Yr *Oldham* ydi enw'r bad achub yma,' medda fo, a thynnu llun oddi ar y mur. 'Mi fydda'ch hen daid wedi bod ar hwn.'

'Llywiwr oedd o, fel dw i'n dallt.'

'*Coxswain* fasa ni'n ei alw fo heddiw 'ma 'te,' a rhoi llun yr *Oldham* yn fy nwylo i. 'Fel y gwelwch chi, cwch rhwyfo a hwylio oedd o. Wedyn, fydda'n ofynnol iddyn nhw, pan oedd 'na ddim gwynt, orfod rhwyfo. Wedyn, os oedd y gwynt yn ffafriol, roeddan nhw'n medru hwylio. Fo, wedyn, fasa'n gyfrifol am y cwch ac am reoli'r gwirfoddolwyr.'

'Ydi o yn y llun?'

'Dyna fo,' a phwyntio at ŵr glew'r olwg ar ei sefyll ym mlaen y cwch.

'Dw i'n sylwi, Gareth, dynion sy 'ma i gyd. Ond yn y fan yma, tu allan i'r cwch, ma' 'na un wraig.'

'Hon oedd y ledi fydda'n mynd o gwmpas i gnocio drysa pan oedd 'na argyfwng. Ei henw hi oedd nocyr-ypyr.'

Wedi handio'r llun yn ôl dyma ofyn, 'O feddwl am heddiw, pa mor amal mewn blwyddyn yr ewch chi allan mewn argyfwng?'

'Wel yn ystod y tri mis dwytha yma, mi rydan ni wedi bod allan un deg pedwar o weithia. Pedair o weithia'r wsnos yma.'

Wedi gweld y llun ro'n i'n rhyfeddu mwy fyth at ddewrder yr hen daid. Yn arferol, ffarmio'n union uwchben y bae oedd ei waith o, ond rhuthro, mae'n amlwg, am y bad achub pan fyddai'r 'nocyr-ypyr' ar ei rownd.

Ym Mhen Llŷn, dros y blynyddoedd, mae'r traethau wedi'u gweddnewid gymaint â'r dirwedd. Newid am fod arferion pobl, a'u defnydd nhw o'r traethau wedi newid. Pan oedd Oes Fictoria ar ddŵad i ben fe ddaeth hamddena'n arfer derbyniol ac o amgylch Penrhyn Llŷn roedd y traethau agored, a'r cilfachau cysgodol, fel pe wedi'u creu ar gyfer yr oes newydd sydd, bellach, wedi hen gyrraedd. Ond un peth sylwais i wrth grwydro'r glannau: newidiadau neu beidio, mae'r môr yr un mor driw a'i drai a'i lanw'r un mor ddigyfnewid.

Llŷn i mi yw llanw môr,
y perthi uwch traeth Porthor,
cri gwylan ar draeth anial,
a gwlân rhwng weiran a wal.
Llŷn yw'r haul uwch llwyni'r haf,
a'r heth hyd at yr eithaf.

Meirion MacIntyre Huws

Llun: Cip yn ôl ar Borth Dinllaen a'r môr yn dymhestlog.

LLŶN A CHWEDLONIAETH

Ond ydi chwedloniaeth yn dal yn fyw ac yn iach mewn oes newydd? Y bwriad oedd imi fynd ar grwydr, ar hyd a lled y penrhyn, i holi hwn ac arall. Ond ro'n i am ddechrau gyda chwedloniaeth eli'r ddafad wyllt a ddaeth â phobl o bedwar ban byd i Siop Penycaerau. Fe ddiogelwyd peth o'r hanes hwnnw mewn rhifyn o'r *Cymro* ym Medi 1954:

> Yn Siop Penycaerau, ym mhendraw Llŷn, gellwch brynu unrhyw beth o'r bron gan gynnwys hoelion clocsiau . . . Eithr nid i chwilio am yr un o'r pethau hyn y daeth gwraig bob cam o Buenos Aires i Benycaerau ychydig fisoedd yn ôl . . . Ychydig flynyddoedd yn ôl 'roedd perchen ystâd ddefaid 2,800 erw o Freemantle, Awstralia, ym Mhwllheli yn derbyn triniaeth. Dro arall daeth gŵr mewn awyren o Singapore.

Pan elwais i heibio i'r feddygfa ym Motwnnog, un bore, roedd yno ddigon o bobl oedd yn dal i gofio'r dyn a'i feddyginiaeth. Brawddeg gan hwn ac arall:

'Gynno fo syrjyri ym Mhwllheli, bydda, bob dydd Merchar . . . Roddan nhw'n dŵad ato fo o bob man . . . Dwi'n cofio Owan Griffith yn tynnu dafad wyllt oddi ar wefl Nain ac mi ddoth i gyd allan, y gwraidd a'r cwbl . . . Ac mi gafodd Mam un.'

Unwaith ro'n i wedi agor y fflodiard doedd dim pall ar y sgwrsio a rhai gydag atgofion am feddyginiaethau chwedlonol eraill.

'Hefo dolur gwddw hen hosan i 'nhad, a honno'n fudur . . . Ia, gora po futra. Asiffeta mewn ecob, 'te? . . . Tatan wedi'i berwi dw i'n gofio . . . Ia, tatan wedi'i berwi a'i rhoi hi mewn hosan . . . Tinti riwbob ac Indian Brandi,' sibrydodd un wraig.

'Be oeddach chi'n neud hefo fo, yfad y stwff?'

'Ia.'

'A dach chi yma o hyd.'
'Ydw, yn wyth deg.'

Be ydi chwedl dda, wrth gwrs, ydi stori sy'n dal y dychymyg. Un ffynhonnell gyfoethog i straeon o'r fath ydi gwrachyddiaeth. Os cewch chi wedyn elfennau megis dialedd, melltith ac ychydig o wallgofrwydd yn rhan o'r stori mae'r llwyfan wedi'i osod ar gyfer y gynulleidfa. Ond wedyn, wrth gwrs, mae'n rhaid wrth gonsuriwr geiriau i greu'r wyrth.

Hanesydd ydi John Dilwyn Williams wrth ei waith, wedi'i fagu ym mhlwy Llannor a chyda dawn i greu awyrgylch oes arall. Felly, dyma gyfarfod ein dau yn hen eglwys Llannor – sy'n dyddio o'r drydedd ganrif ar ddeg – i olrhain hanes Dorti Ddu, math o wrach, a'r Person a oedd i ennyn ei llid hi.

'Ond dyn dŵad i blwy Llannor oedd y Person?'

'Brodor o Lanidloes oedd John Owen a mi ddath yma yn Berson i Lannor pan oedd o tua phump ar hugain oed.'

'Be oedd achos y cweryl?'

'Ma'n amlwg fod 'na rwbath wedi codi rhyngtho fo a Dorti Ddu. Hen ferch go flin oedd hi. Dorothy Ellis oedd ei henw iawn hi. Mae 'na gyfeiriad ati yn ei regi o a'i felltithio fo ac yn honni ei fod o wedi ceisio'i threisio hi. Yn sicr, mi gafodd hi'i hesgymuno.'

'Ma' hynny wedi'i gofnodi?'

'Ma' hynny ar ddu a gwyn felly. Roedd Robat Jones, Rhoslan, yr hanesydd, yn deud wedyn nad oedd hynny ddim yn ddigon, y bydda hi ar ddiwadd y gwasanaethau yn disgwl tu allan er mwyn rhegi a melltithio'r Person. Yna, eu bod nhw yn y diwadd wedi gneud postyn i'w chlymu hi wrth borth y fynwant.'

'Ond faint o'r hanas yna sy'n wir, a faint sy'n ffrwyth dychymyg?'

'Mae 'na gofnod yn y llysoedd sy'n profi ei bod hi'n ddynas go iawn ac ma' nid ffrwyth dychymyg oedd hi. Ma' Robat Jones yn deud iddi boeni gymaint

Cyrraedd Eglwys Llannor.

John Dilwyn Williams yn synhwyro'r awyrgylch yn eglwys Llannor.

ar y Person fel y buo fo farw'n ddyn cymharol ifanc. Ond doedd hyd yn oed marwolaeth ddim yn ddigon i gadw'r Person rhag melltith Dorti Ddu. Fuon nhw'n cadw gwyliadwriaeth ar y corff cyn mynd â fo i lawr i Lanidloes. Ond yn ôl yr hanas, mi ddaru'r hen Dorti ffeindio'i ffordd i mewn rwsut a gafal yn ei drwyn o a'i ysgwyd o'n 'dra ffyrnig'. Ond fel tasa hynny ddim yn ddigon, mi gerddodd wedyn bedwar ugain milltir o ffordd. '

'I Lanidloes?'

'Ia.'

'Dipyn o daith yn y cyfnod hwnnw.'

'Oedd. Rydw i wedi'i weld o mewn un cyfeiriad, "i wneud rhyw amarch â'i fedd", ond ma' Robat Jones yn dweud yn ddi-flewyn ar dafod "i ollwng ei budreddi ar ei fedd". Mae 'na gofnod iddi farw yn 1774 yn 90 oed a rhywla ym mynwant Llannor ma' hi wedi'i chladdu ond does neb yn gwbod yn union ble.'

Wedi gwrando Dilwyn yn adrodd stori Dorti Ddu yn eglwys Llannor, a loetran ychydig rhwng y beddau, ro'n i'n reit awyddus i ymadael. Fel Dilwyn, roedd gan amryw o deulu fy nhad glust am chwedl. Yn fwy na hynny, roedd gan rai ohonyn nhw lygaid i ddychmygu'r chwedl honno, dawn i ychwanegu ati a'r arabedd i'w hadrodd yn gomig a chredadwy. Dyna ble, hwyrach, yr enynnodd fy niddordeb innau yn y traddodiad.

Unwaith, roedd yna fwgan bron ymhob ardal yn Llŷn a chryn chwedlau amdanyn nhw. Yr un enwog yn fy ardal i oedd Bwgan Pant-y-Wennol ym mhentref Mynytho. Roedd yr helyntion wedi digwydd flynyddoedd lawer cyn fy ngeni i, eto roedd yr hanes yn fyw iawn yn y plwyf. Pan o'n i'n blentyn, doedd y ffordd gul i lawr i Bant-y-Wennol ddim yn un i'w cherdded, yn enwedig wedi iddi dywyllu.

Un pnawn dyma alw heibio i Neuadd Mynytho. Y pnawn hwnnw roedd y Clwb Pensiynwyr lleol yn cyfarfod i ddathlu pen-blwydd un o'r aelodau yn bedwar ugain. Roedd o'r union le i gael atgofion am 'Fwgan Pant-y-Wennol'. A dyma'r

PORTREAD
Owen Griffith

Gŵr fymryn yn oriog oedd Owen Griffith, Siop Penycaerau, ond pan fyddai'r llanw i mewn gallai fod y difyrra'n bod. Hwyrach mai'r môr y bu'n hwylio arno am ddeunaw mlynedd oedd yn gyfrifol am hynny. Ceir disgrifiad ohono ar ei 'diced morwr': taldra 5 troedfedd 8 modfedd, llygaid gleision, gwallt brown, pryd golau gydag angor yn datŵ ar gefn ei law chwith. Ond beth am y dyn oddi mewn?

Serch bod ei dad yn siopwr, ac yn dynnwr dannedd a chymysgwr ffisig, yn ddeuddeg oed anfonwyd Owen yn brentis at ei ewythr i Siop Penygraig ar draws y penrhyn. Roedd o hefyd i'w hyfforddi yn 'feddyg y ddafad wyllt' ac etifeddu'r gyfrinach. Dafad wyllt oedd yr enw a ddefnyddid, ac a ddefnyddir o hyd, am un math o gancr y croen. Doedd y gyfrinach ddim yn gyfyngedig i Gymru, nac i un ganrif, nac i'r teulu o Lŷn.

Ond yn bymtheg oed aeth galwad y môr yn drech nag Owen ac aeth i forio. Pan ddychwelodd adref am seibiant, ddechrau Tachwedd 1921, bu farw ei dad. Cadw siop ym Mhenycaerau y bu wedyn hyd 1973, ond mynd i gynnal syrjeri ym Mhwllheli bob dydd Mercher ac ar y Suliau, am gyfnod, mynd i godi defaid gwyllt Sir Fôn.

Pan oedd o'n ganol oed cymerodd bnawn o'r siop a phriodi chwaer fy nhad a dyna sut y dechreuodd f'adnabyddiaeth i. Ond glynu hefo'i brawd a'i chwaer ym Modwyddog Fawr fu hanes Modryb Anne ac yntau'n glynu hefo'i frawd a'i chwaer yn Siop Penycaerau. Ond fin nos, deuai draw i Fodwyddog am ei wely, a phocedi'i gôt siopwr yn llwythog o felysion ac weithiau oglau diarth ar ei wynt o. Ar ei garreg fedd ym Mynwent Llanfaelrhys, sydd rhwng Siop Penycaerau a Phorth Ysgo, ceir ysgythriad o botel fechan yng nghledr ei law – ar batrwm darlun a ymddangosodd yn *Y Cymro* ugain mlynedd ynghynt. Oni bai am gynnwys y botel honno, siopwr gwlad, a dim mwy, a fyddai Owen Griffith wedi bod.

Fe wyddai Owen Griffith werth chwedloniaeth i gadw'i feddyginiaeth ar gerdded. Manteisiodd ar bob cyfrwng, megis radio, teledu ac yn arbennig colofnau'r *Cymro* a'r *Herald Cymraeg* i hyrwyddo'i waith. Stori garlamus oedd honno fod ganddo resipi ar sut i aildyfu blew ar hen geffyl, gyda'r awgrym y gallasai weithio ar yr hil ddynol. Os cofia i'n iawn, llosgi sodlau hen sgidiau'n llwch a'i gymysgu hefo mêl oedd y resipi. Yr anfantais oedd ei fod o'n foel ei hun. Mae rhai, o hyd, sy'n dal i gofio fel y byddai'n ymson hefo'r claf wrth wneud ei ddiagnosis, 'Lle ma' hi gin ti? Ia, hi ydi hi. Gad hi dan y gaea', rhag iti boethi gormod ar dy waed. Ro'i beth arni adag hynny.'

Ond chwedloniaeth yr eli gwyrthiol oedd y stori fawr, hanes y tincer o Wyddel hwnnw a werthodd y gyfrinach i'w daid o am swllt. Biti na fyddai o wedi cael byw i'm clywed i'n adrodd fel y bu i minnau, yn 1978, bedair blynedd wedi'i farwolaeth, gyfarfod â gwraig yn Swydd Kilkenny a oedd yn ymarfer yr un feddyginiaeth, i drin yr un afiechyd. Roedd hi wedi etifeddu'r gyfrinach oddi wrth ei nain. Diddorol oedd darganfod mai enw'r nain honno oedd Jane Griffith. Serch yr un cyfenw, methais â phrofi, er imi chwilota, fod yna unrhyw gysylltiad teuluol.

atgofion yn dechrau llifo.

'Gneud dryga bydda hi, 'te? Er mwyn creu stŵr.'

'Ia, malu llestri a phetha felly.'

'Mi fydda 'na betha'n digwydd yn nos, pan oedd pawb arall yn eu gwlâu yno.'

'Dw i ddim yn meddwl y byddwn i byth yn mynd i lawr y lôn am Bant-y-Wennol pan o'n i'n blentyn.'

'Ddim yn y nos. Achos o'n i'n credu radag hynny, yn dal i gredu hwyrach, bod 'na fwgan ym Mhant-y-Wennol.'

'Oedd hi'n byw wedyn yn Nhŷ-ucha'r Lleiniau, lle gosa i Tan-y-Fron, 'nghartra i.'

'Glywis ddeud na fydda hi byth wedyn yn edrach i fyw llygad neb.'

Wrth gerdded i lawr at y tyddyn ro'n i'n medru ail-fyw'r hen goelion heb ormod o bryder. Mam a dwy ferch oedd yn byw yno ar y pryd. Roedd y ferch hynaf, Catrin, ar fin priodi hefo Huw'r crydd a'r ferch ieuengaf, Elin, yn bedair ar ddeg oed. Yr arswyd oedd bod yna bethau rhyfedd yn digwydd yno. Synau i'w clywed yn y nos, llestri'n disgyn, potiau llaeth-cadw'n malu'n deilchion, drysa'n cau ac yn agor, celfi'n diflannu, dilladau'n cael eu rhwygo a phethau'n cael eu lladrata – hyd yn oed o bocedi'r ymwelwyr. Un o'r pethau a achosodd yr arswyd mwyaf oedd darganfod Beibl y teulu â'i dudalennau wedi'u rhwygo'n griau. Fe gyrhaeddodd y stori'r papurau newydd; yn wir, clywed baled am y digwyddiad yn un o dafarnau Llundain wnaeth brawd y ddwy chwaer. Yn dilyn, dechreuwyd cynnal cyfarfodydd gweddi ar yr aelwyd a chael gweinidogion i alw yno.

Elin, y ferch ieuengaf, oedd yn cael ei beio ond roedd rhai'n tybio fod gan Huw'r crydd fys yn y brywes. Daeth yr helynt i ben pan gaed yr heddlu yno i gadw gwyliadwriaeth a dal Elin yn lluchio esgid i lyn o ddŵr. Cafodd drip i Bwllheli i orsaf yr heddlu ac yn ôl pob sôn, yn dilyn hynny, diflannodd y bwgan o Bant-y-Wennol.

Ond yn ôl gwraig y tŷ, Saesnes, mae'r bwgan yn dal yn fyw. Doedd merch

Trwy'r niwl i Bant-y-Wennol i chwilio am y bwgan.

y teulu, pan oedd hi'n ddeuddeg oed, wedi deffro'n ystod y nos â'r bwgan yn eistedd ar draed ei gwely hi! Roedd yna ffrind i'r teulu, hefyd, wedi tynnu llun y tŷ ac roedd wyneb y bwgan yn un o'r ffenestri. Ond doedd y llun hwnnw ddim ar gael pan elwais i heibio. Fe anghofiais innau ofyn a oedd y bwgan, erbyn hyn, yn un dwyieithog.

Mae Llŷr Hughes, yn Nefyn, yn 'fferyllydd at iws gwlad' yn ystyr orau'r gair, serch ei fod o hefyd yn ŵr busnes blaengar. Mae'i gwmni'n berchen mwy nag un siop a chwsmeriaid ganddo ar draws ac ar hyd y penrhyn. Gall hefyd chwedleua hefo pobl ac ymddiddori yn eu hanghenion yr un pryd. Oedd, roedd gen i annwyd

Llŷr yn cymysgu'r 'ffisig du' ar gyfer fy annwyd i.

hen ffasiwn y bore hwnnw a ninnau'n digwydd ffilmio yn y fferyllfa. O dan y cownter yn Nefyn roedd gan Llŷr y feri peth i symud annwyd anodd ei symud.

'Reit, dw i am roi potal o'r ffisig du ichi. Ond, yn gynta, dw i am ichi ogleuo hwn.'

'Hwn ydi'r ffisig du?

'Naci.'

Ac mi gofiais yr arogl, 'Asiffeta!'

'Ia.'

Serch ei fod o'n rhedeg fferyllfeydd modern, prysur mae gan Llŷr ddiddordeb byw yn yr hen feddyginiaethau a deil i gredu fod rhai o hyd yn fuddiol a dibynadwy.

'Ond, Llŷr, be am y ffisig du?'

'Dyma fo,' a chymysgu potelaid o flaen fy llygaid i. 'Mae o, wir, yn gneud gwahaniaeth. Os isio fi estyn llwy i chi?'

'Ga' i 'i yfad o'n syth o'r botal?'

'Cewch â chroeso.'

'Fydda i'n sobor wedyn?'

'Byddwch yn tad.'

'Sobor o sâl, hwyrach!'

'Fyddwch yn llawar gwell.'

Ydi, mae blas ffisig du Llŷr Hughes yn y fferyllfa yn Nefyn yn dderbyniol iawn, ac mae o'n tynnu cwsmeriaid. Fel yr eglurodd Llŷr imi, fel eli'r ddafad wyllt meddyginiaeth etifeddol ydi hon hefyd. Fferyllydd ym Mhwllheli a'i hetifeddodd hi, ei defnyddio am oes a'i throsglwyddo, wedi hynny, i fferyllydd ifanc a oedd am helpu cleifion a chadw traddodiadau'r un pryd.

Gan i gyndadau Llŷr fyw yn rhyfeddol o agos i Siop Penycaerau, a chofio'i ddiddordeb byw yntau mewn hen feddyginiaethau, ro'n i'n awyddus i wybod a wyddai o gyfrinach eli'r ddafad wyllt. Ond fel yr hen feddygon gwlad, slawer dydd, fe ŵyr Llŷr werth dirgelwch a chadw rhai pethau bob amser o dan y cownter.

Erbyn y pnawn ro'n i'n teimlo'n llawer gwell, yn anadlu'n rhwyddach ac yn medru llefaru'n gliriach. Ond hwyrach y byddwn i wedi gwella prun bynnag.

Dw i'n meddwl, er na alla i ddim bod yn sicr chwaith, mai gan wraig yn y feddygfa ym Motwnnog y ces i siars nad oeddwn i ddim i gefnu ar fy ymchwil i chwedloniaeth Llŷn heb alw i weld y 'doctor dail'. Y fo, meddai honno, oedd y pennaf chwedleuwr bellach ac yn cymysgu'i eli ei hun at amryw anhwylderau. Fe brofwyd bod hynny'n wir.

Pan gyrhaeddwyd buarth Pencefn Fawr am naw'r bore roedd y cyfarwydd – a defnyddio gair o'r Mabinogi am y chwedleuwr – yn eistedd yn ei gadair freichiau'n barod i'r llys; Heddwel, y mab gofalus, newydd roi crib drwy'i wallt a thynhau mymryn ar ei dei. Ar y bwrdd roedd llestri roedd Brillwen, ei wraig, wedi'u gosod i'r criw gael 'te ddeg' am chwarter wedi naw.

Roeddwn i'n adnabod Glyn o hil-gerdd; fel y cyfarwydd, y storïwr, yn y Pedair Cainc, mae ganddo'r ddawn honno i 'ddiddanu'r llys' ac fe'i clywais wrth y gwaith sawl tro. Wedi cael pethau i droi, fy unig orchwyl i wedyn oedd bod â'm cefn at y lle tân, lluchio ambell gwestiwn i mewn os deuai bwlch, a Glyn yn llifeirio siarad heb arno na phall cof na chaethiwed gwynt.

Mae gan Glyn Roberts ddiddordeb byw iawn mewn hen feddyginiaethau, fel mewn cymaint o feysydd eraill, a chanddo droeon ymadrodd a chyfoeth idiomau i fedru troi'r cyfan yn chwedloniaeth ar ei gorau. Y cam nesaf oedd mynd allan i'r buarth i hel rhai o'r dail gwyrthiol y bu'n sôn amdanyn nhw a'i weld o, wedyn, yn troi'r dail hynny'n eli.

'Dyma nhw rŵan,' a phwyntio at lwyn o'r ddeilen gron oedd yn tyfu'n agos i'r drws cefn.

'At be ma' nhw'n dda, Glyn?'

'At amryw bethau. Mi fedri fyta nhw rhwng dy frechdan. Mi fydd y wraig yma'n byta tair neu bedair bob bora. Byta un,' cymhellodd.

A dyma fi'n blasu un a gofyn wedyn, yn anffodus, 'Ma hi'n saff i' byta nhw?'

'Ydi, ond peidio cymyd un o le ma' 'na hen gi ne' gath wedi bod.' (Yn ôl y criw, roedd fy wyneb i'n bictiwr.) 'Ond ran hynny, fyddi di ddim yn gwbod sut flas fydd arnyn nhw cyn pen yr wsnos. Mi fyddi wedi anghofio. Ond gad imi ddangos iti sut byddwn ni'n gneud yr eli.' Yna, fe petai o'n fferyllydd wrth drwydded a phrofiad, dyma fo'n rhoi dwy neu dair deilen mewn powlen a'u stwnsio'n hylif. Wedyn, dyma fo'n rhoi'r hylif gwyrdd ar gefn ei law, 'Deuda bod gin ti friw bach ar dy groen, mi gwellith o mewn dim.'

Yn Rhydyclafdy mae Glyn Roberts, dyn y dail, yn gneud sawl ffisig gwlad fel yr eli o'r ddeilen gron. Sgwn i a wyddai o, os gwyddai rhywun, am gyfrinach

Glyn Roberts, y 'doctor dail', yn mwynhau'r gwaith ond i mi blas y ddeilen yn chwerw.

meddyginiaeth y ddafad wyllt?

'Ma'n nhw'n deud ma' gin y sipsiwn roedd y peth wedi dŵad. Mi oedd y Romanis yn defnyddio pry genwar a'i roi o mewn tun, mewn toman dail, am flwyddyn. Ond roedd 'na un cynhwysyn arall i'w ychwanegu ymhen y flwyddyn. A gwenwyn oedd hwnnw. Mi oedd sbotyn ar fatsian yn ddigon.' A chyda'r wybodaeth yna, hwyrach i ninnau ddŵad gam yn nes at wybod yr ateb.

Ym Mhen Llŷn mae llawer o'r hen draddodiadau'n dal ar gof a chadw ac fe ddaw yna eraill eto, gobeithio, i'w cadw'n fyw a'u hadrodd wrth genhedlaeth arall. Hwyrach y bu neilltuaeth Llŷn yn help i ddiogelu'r chwedlau a gwarchod eu gwreiddioldeb. Yn wir, mae'n bosibl i Ben Llŷn etifeddu mwy na'i siâr o hud a lledrith, a'r pellter, fel yr awgrymwyd, yn gymorth i'w gwarchod nhw. Ond amser, mae'n debyg, sy'n creu'r wyrth. Yn aml iawn, mae digwyddiadau cyffredin un oes yn troi'n chwedloniaeth mewn oes arall.

Nid lle ond hafod yw Llŷn.
Mae hualau'r Maen Melyn
Yn fy ngwaed, ac yn fy nghof
Mae hwn yn gwlwm ynof
Sy'n mynnu tynnu fel ton,
Galwad yn nwfn y galon.

Gareth Williams

Llun: Gwawr uwchben Llithfaen

OTY 208

LLŶN A THRAFNIDIAETH

Fel yr awgrymwyd yn barod, y ffordd rwyddaf i gyrraedd a gadael Pen Llŷn, unwaith, oedd dros y môr. Bellach mae yna we pry cop o briffyrdd a chefnffyrdd yn croes ymgroesi ar hyd a lled y penrhyn. Ond wedi cyrraedd y pen draw eithaf yr unig ffordd o adael wedyn, heb droi'n ôl, ydi croesi'r swnt a hwylio allan am Enlli. Dyna wnaeth y pererinion cynnar. Iddynt hwy, y bwriad oedd iddi fod yn ffordd bengoll a chael marw yn nwfn dangnefedd Enlli.

Mae hanes datblygiad trafnidiaeth ar Benrhyn Llŷn yn un cyfareddol ac roedd gan rai o'm hynafiaid i ran yn y stori honno. Mynd ar droed fu hi unwaith a'r wlad, mae'n debyg, yn un labyrinth o lwybrau cerdded. Wedi dyddiau'r drol fe ddaeth y brêc a'r goets ceffylau i gario negeseuau a phobl. Yna, rhwng troad y ganrif a'r Rhyfel Byd Cyntaf, fe gyrhaeddodd cerbydau petrol i Ben Llŷn a dyma ffeirio'r drol am lori.

Yn llythrennol, bu gan Lŷn unwaith lond gwlad o gariwrs. Roedd yr enw'n disgrifio'r swydd i'r dim. Ond yr un a adawodd fwyaf o enw ar ei ôl o ddigon oedd 'Dic Fantol'. Y Fantol oedd enw cartref Richard Roberts am gyfnod gweddol hir; tŷ a beudai ar fin y briffordd rhwng Pen-y-groeslon a Rhoshirwaun gyda ffordd lai'n sleifio gyda'i dalcen i gyfeiriad Rhydlios a'r môr. Ar y gongl agored honno y trefnwyd imi gyfarfod ag Emlyn Richards un bore, ein dau o Lŷn ond fod Emlyn wedi ymdroi mwy cyn gadael ac, o'r herwydd, yn cofio Dic yn well.

'Dyma ni'n cyfarfod wrth y Fantol, Emlyn.'

'Wrth y Fantol o lefydd y byd. A fedri di roi dim ond un gair o flaen y Fantol, a Dic ydi hwnnw. Ydw, mi dw i'n cofio'r hen Ddic yn dda iawn, iawn. Pwy fedra 'i anghofio fo? Hen gariwr oedd o, yn cario nwyddau o ffermydd a thyddynnod

Llŷn 'ma i Bwllheli a dŵad â negeseua'n ôl iddyn nhw wedyn.'

Roedd Emlyn a minnau'n cytuno iddo weithio'n eithriadol o galed. Mynd i weini'n ddeg oed a dechrau gyrru ceffylau wedyn i gyfarfod y llongau a laniai ym Mhorth Dinllaen a rhannu'r nwyddau a ddeuai i'r lan i siopau a chartrefi'r cylch. Yna, dŵad yn fath o gariwr swyddogol rhwng pen draw Llŷn a Phwllheli. Âi i Bwllheli bedair neu bum gwaith yr wythnos. Roedd o'n golygu cychwyn am bump y bore i gyrraedd Pwllheli erbyn deg. Yna, wedi danfon a hel y negesau, cychwyn yn ôl am un i gyrraedd y Fantol erbyn chwech yr hwyr. Ond wedi seibiant, roedd hi'n ofynnol trampio wedyn o amgylch y plwy, a thu hwnt, i ddanfon y negesau a chasglu'r ordors at drannoeth.

'Roedd Dic yn un o'r rhai cynta i gael lori a dyna un o saith rhyfeddoda Llŷn. Ac mi fydda'n llusgo'n ara bach rhwng Pwllheli ac Aberdaron.'

'Ac mi glywis i, Emlyn, y bydda fo weithiau'n gweiddi "we" ar honno yn lle rhoi'i droed ar y brêc.'

'Wel, roedd Dic, fel y clywist ti mae'n siŵr, yn hoff iawn o'i dropyn, mwy na thropyn a deud y gwir, ac mi fydda weithiau'n troi'r lori â'i pheglau i fyny'.

Ond wedi meddwl, hwyrach mai perthynas Dic a'i wraig, yn fwy na'i swydd, a'i gwnaeth yn enwog. Yn ôl pobl y fro, pan aeth Dic i weini am dymor i Garreg Plas roedd yno Wyddeles o'r enw Mary yn forwyn yno. Dyma'r ddau'n priodi a symud, gan bwyll, i fyw i'r Fantol.

'Ia, Gwyddelas oedd Mary, fel deudist ti. Ond Gwyddelas na wydda hi'r un gair o iaith Dic a wydda Dic run gair o'i hiaith hitha chwaith. Ddaru nhw ddim cydfyw llawar, medda nhw, dim ond clegar a thaeru. A phan oedd hi'n mynd yn storm go ddrwg, a hynny o eirfa oedd gin Dic wedi darfod yn llwyr, mi fydda'n rhyw hannar codi tu ôl i'r bwrdd, pwyntio i gyfeiriad Werddon, a deud "Eiarland Meri!".'

Yn wir, fe ddaeth yr ymadrodd yn fath o idiom yn Llŷn ar un cyfnod. Mi fyddai fy nhad, fel eraill, yn cyfeirio at gartrefi yn Llŷn lle byddai ffraeo mawr, ''Gin i ofn calon 'i bod hi 'di mynd yn "eiarland-meri" yno.' Ond yn ystod fy nghrwydradau, mi glywais i atodiad i'r stori. Pan fyddai hi'n ddrwg iawn yn y Fantol mi fyddai Dic yn ychwanegu ar y diwedd – '*and swim!*'

Ar ei garreg fedd ym mynwent hen eglwys Aberdaron cyfeirir ato fel '*beloved husband of Mary*' a nodir iddo farw yn 1952. Yn ôl adroddiadau'r papurau newydd, roedd hi'n bresennol yn ei angladd ond ni cheir ei henw ar y garreg. Ddaru hi erioed wrando ar gyngor Dic a chroesi'n ôl i wlad ei thadau? Hanes i ymchwilio ymhellach iddo ydi hwnnw.

Mi wn i sicrwydd i dair bŷs gyrraedd o Huddersfield i Bwllheli yn 1912 a

Bŷs 1912 a f'Ewyrth Defi'n sefyll ar y dde.

Y gyrrwr yn edrych yn ôl a'r teithiwr yn edrych ymlaen!

chreu hanes. Fy nheulu i, o ochr fy mam, oedd wedi prynu un. A dyma nhw'n ffurfio cwmni teithio i redeg rhwng Pwllheli ac Abersoch a'i fedyddio â'r enw swanc, The Abersoch Motor Omnibus Company Limited. Teuluoedd Tociau a Thir Gwenith oedd wedi prynu'r ddwy fŷs arall. Wedi'r Rhyfel Mawr fe sefydlwyd amryw o fân gwmnïau fel hyn ar Benrhyn Llŷn, pob un â bŷs neu ddau, ond gyda'r blynyddoedd aeth y gystadleuaeth yn ormod. Yna, yn nechrau'r Tridegau daeth Cwmni'r Crosville i Lŷn a thraflyncu bron pob cwmni arall.

I ail-fyw hen ddyddiau bu'n bnawn difyr teithio ar hyd godreon Mynydd yr Eifl mewn bŷs o'r Pumdegau a William Hughes – y gyrrwr a'r perchennog – yn siarad hefo mi drach ei gefn, bob yn ail â chadw'i lygaid ar y ffordd.

'Pan fyddwch chi'n teithio hefo'r bŷs 'ma, William Hughes, fydd pobol yn synnu ac yn rhyfeddu?'

'Ew byddan, do's na'r un arall ar hyd y lle 'ma rŵan – ar wahân i hon 'te.'

'Faint o waith ichi oedd adnewyddu'r bŷs? Oedd o'n golygu dipyn o waith, doedd?'

'Dew, plesar oedd o'n fwy na gwaith.'

'Ond dw i'n iawn yn tybio'i fod o wedi costio tipyn i chi?'

'Dw i ddim yn meddwl bod dim ond dau ohonan ni'n gwbod faint! Mi gadawn ni hi'n fan'na dwi'n meddwl.'

PORTREAD

Stan Jones

Ymddengys fod ganddo o'r dechrau ddiddordeb mewn cadw olwynion i droi; cario nwyddau allan o siop ar feic, dreifio fan wyau a sgwennu hunangofiannau, *Dyn y Bysys* a *Dyn y Bysys Eto*.

Gŵr heulog y cefais i o bob amser. Nid na ddeuai'r esgus lleiaf o gwmwl pan âi pethau dros ben llestri. Bryd hynny, cyflogai Crosville weithwyr ychwanegol dros yr haf a naw o bob deg yn fyfyrwyr neu'n hogiau ar adael ysgol. I Stan, roedd gyrru bỳs yn ffon fara ond i ni yn arian wrth gefn. Meddai, yn ei hunangofiant: 'Iddynt hwy roedden ni'n dwp fel maip, ac i ni roeddynt hwy mor wyrdd â'r bysys.' Ond fel 'condyctor' – â'r gair yn swnio fel petai rhywun yn arweinydd cerddorfa neu'n wifren mewn plwg trydan – roedd cystal gen i fod ar fỳs Stan na'r un arall.

Os oedd rhywun yn dallt yr hogiau, Stan oedd hwnnw a ffurfiwyd cyfeillgarwch oes. Yn rhyfedd iawn, pan ddown ar draws ein gilydd, am y rhialtwch a fu y bydd y sôn. Dyletswydd y condyctor oedd gofalu am yr amserlen a chyfeiriad y daith. Fy mai i oedd gyrru Stan, a'r bỳs, i Sarn Bach yn lle i Sarn Mellteyrn. Caed gwŷs i ymddangos ger bron y Rheolwr, a oedd yn rhegwr rhwydd; y gyrrwr i ddechrau a finnau wedyn. I grynhoi, barn hwnnw oedd fy mod i'n naïf a Stan, druan, yn anaeddfed o'i oed. Roeddwn i felly ond roedd Stan yn ŵr cymesur iawn.

Rhoddai'r argraff ei fod bob amser yn wyn ei fyd. Gydag amser i'w lyncu rhwng dwy siwrnai fe'i clywais, sawl tro, yn athronyddu am y byd hwnnw. Hynny ydi, bod yna waeth jobsys, bod gan rywun do uwch ei ben ar dywydd drwg, cyflog gweddol a'r ffyrm yn sypleio iwnifform.

Ond beth petai rhagluniaeth wedi gwenu arno mewn ffordd wahanol?

Fel y cofnododd, fe'i magwyd ym Mynytho yn y Dauddegau tlawd heb awer o gyfle ar addysg ond wedi ymddeol daliodd ar gyfle i ennill yr yn a gollodd. Aeth i ddosbarthiadau addysg bellach a dilyn cyrsiau ar ysgrifennu'n greadigol, dysgu'r gynghanedd a chyhoeddi swm o gerddi.

Lle cynnes braf i seiat oedd cab dybl-dec pan oedd cryn ddeg o'r rheini'n aros eu tro tu allan i Wersyll Butlins. Roeddwn i yn ei gwmni pan ddaeth y newydd am eni'i unig blentyn, Maldwyn. Buom yn trafod sawl pwnc gyda dwyster. Yn wir bu 'dyn y bysys' yn flaenor mewn capel am gyhyd ag y bu'n gyrru bỳs – er mai fel 'blaenwr', yn hytrach na 'blaenor' y cyfeiriai gwraig o Fynytho ato. Dros hyn i gyd gwisgodd hiwmor yn 'rhwymyn perffeithrwydd'.

Stan oedd yn gyrru'r bỳs deulawr hwnnw i fyny'r Allt Goch pan lithrodd artic o bram allan o'i le parcio a chwalu'n dameidiau briw wrth ei thrybowndio hi'n ôl am Faentwrog. Ond stori at y tro nesaf y gwelwn ni'n gilydd ydi honno.

Am ran o'r daith, mi fûm i'n ddigon ffodus i gael cwmni Elfed Gruffydd, awdur *Llŷn* yn y gyfres *Bröydd Cymru*, a disgynnydd i deulu Bysys Tir Gwenith. Wrth inni deithio yma ac acw ar hyd y penrhyn mewn bỳs o'r Pumdegau roedd yna amryw yn rhyfeddu a rhai'n cael ailedrychiad. Ond mi fyddai gweld bỳs am y tro cyntaf erioed yn fwy o ryfeddod fyth, ac roedd Elfed yn cytuno.

'Mi dw i wedi bod yn trio dychmygu, sawl tro, y profiad o weld y bỳs cynta, yr anghenfil yma, yn cyrraedd i Ben Llŷn am y tro cynta. Roedd o'n beth cwbwl newydd, doedd?'

'A gneud gwahaniaeth mawr.'

'Mi nath y bysys wahaniaeth mawr i drafnidiaeth. Mynd yn ôl ganrif a chydig mwy, doedd yna, at ei gilydd, ddim ond ceffyl a throl, a'r goets fawr, a dim llawar o deithio ond o un pentra i'r llall. Yna, datblygiadau mawr yn dilyn hyn; siopau newydd yn agor ym Mhwllheli, banciau yn cael eu sefydlu, y rheilffordd yn cyrraedd. Yn naturiol wedyn, mi roedd y bysys yn cymryd drosodd ac yn newid bywyd yn llwyr ma'n siŵr. Ac mi oedd y bysys yn cario pob math o betha, doeddan? Ac yn amal iawn yn llwytho to'r bỳs hefo'r nwydda.'

Yn wir, erbyn meddwl, roedd hynny'n wir ym mhen draw Llŷn mor ddiweddar â diwedd y Pumdegau – ond nid ar y toeau. Mae gen i gof am ffarmwr yn mynd â hwch at y baedd ar fỳs Crosville. Ac mi welais i sawl llo bach yn cael reid rhwng dwy ffarm heb ddim ond sach am ei lwynau i'w gadw rhag damwain.

Unwaith, roedd dwy olwyn beic yn rhoi annibyniaeth i hogyn ysgol ac yn ei gario allan o'i gynefin. Ond bod yn berchennog car oedd y freuddwyd. Roedd i hynny bob math o bosibiliadau.

Ostyn Saith o ddechrau'r Tridegau oedd y car cyntaf a Chummy oedd enw'r teip; a pherthynas frawdol felly a fu rhyngof ag o gydol yr amser. Pymtheg punt ar hugain oedd ei bris o ar y pryd – arian wedi'i gynilo oedd hwnnw o weithio hafau ar y bysys – ond heddiw, petawn wedi'i gadw, gallasai fod yn werth i fyny i ddeuddeng mil o bunnau.

A chan fy mod i'n awyddus i ail-fyw rhai o'r profiadau cynnar, bu ymchwil wedyn i daro ar yr un math o gar, yn dyddio o'r un flwyddyn. Caed hyd i efaill perffaith iddo a hynny mor agos i Lŷn â Llanfairfechan ond bod ei liw yn wahanol. Glas oedd f'un i ond coch oedd lliw'r un benthyg. Wrth deithio yn hwnnw, yn ôl a blaen ar hyd llethrau'r Eifl, daeth sawl atgof yn ôl.

Noson yng ngwanwyn pumdeg pump oedd hi a finnau wedi mynd â merch ifanc am swae yn yr ANA 109 dwy sedd, penagored a oedd yn bump ar hugain oed. Bu'n noson dra gobeithiol; noson o 'osod dyrnwr', chwedl pobl Llŷn stalwm. Roedd hi'n noson i lacio'r swildod a threfnu at eto. Pan oeddan ni'n cyrraedd ei chartra hi dyma'r car yn dechrau mygu, berwi a mynd yn gwbl sych o ddŵr. Y trefniant brys y cytunwyd arno oedd iddi hi fynd, yn slei bach, i gyrchu diod i'r car ond peidio ag yngan gair wrth neb am na char na charwr. Ond ymhen hir a

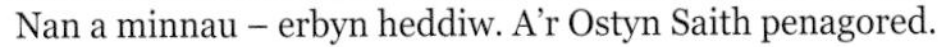
Nan a minnau – erbyn heddiw. A'r Ostyn Saith penagored.

hwyr – wedi imi gael hamdden i godi'r bonat ac agor caead y tanc, gan bwyll – be welwn i yn dŵad ond gosgordd hir, fel un i gyrchu'r bardd mewn steddfod; tad Nan oedd ar y blaen, ond yn waglaw; mam Nan, a hi oedd yn cario'r bwcad dwi'n meddwl; brawd Nan a mymryn o gi. A deud y gwir, a finna'n barddu ac yn oel, doedd hi ddim yn hawdd iawn ysgwyd llaw. A dwi'n meddwl i fam Nan ofyn amdana i, 'dan ei gwynt felly, 'O ble ar y ddaear fawr y cafodd hi afal ar hwn?'

Doedd yr ANA 109 hwnnw mo'r car cynhesa'n bod. Yn wir, os oedd yr hwd i fyny, neu'r gwynt yn udo drwy'r ffenestri, roedd o'n ddrafftiog iawn. Eto, mi fu'n ddigon cysgodol inni sefydlu perthynas oes.

O sefyll ar gwr y Maes ym Mhwllheli ar ddiwrnod marchnad, neu geisio croesi pont Aberdaron ar ddydd o haf, neu wthio'ch ffordd hefo car drwy bentref Abersoch ar ddydd gŵyl hawdd fyddai tybio'i bod hi, bellach, yn rhy hawdd teithio dros benrhyn Llŷn. 'Ceir pobol ddiarth' a gaiff y bai. Ond bu twristiaid yn tyrru i'r penrhyn ers Oes Fictoria, a chyn hynny, ond wedi'r Ail Ryfel Byd y bu'r cynnydd mawr.

Mae pentref cosmopolitan Abersoch gyda'r lle anoddaf yn Llŷn i gael lle i barcio car yn ystod yr haf. Nid yn unig i ymwelydd achlysurol fel fi ond i'r pentrefwyr a'r bobl leol yn ogystal. Ond bob haf, ym maes parcio Abersoch mae yna un dyn sy'n disgwyl yn eiddgar amdanyn nhw. Nid fod rhaid iddo byth ddisgwyl yn hir iawn.

'*For how long, madam? Couple of hours?*' ac aeth y wraig, a chanddi ddau neu dri o blant, ati i lywio'i char i'r unig fwlch a oedd ar ôl.

Rhwng dau gwsmer roedd gan Robert Pierce, ond 'Bobs' i bawb o'i gydnabod, ddigon o hamdden i sgwrsio hefo mi. O'i gwt, ar gwr y llain parcio, pwysai dros ran isaf y drws stabl yn wên braf ac yn hamddenol ei fyd. Fel 'nhw' y cyfeiriai at yr ymwelwyr a ddeuai yno i barcio.

'Pan ma' hi'n braf y peth ma' nhw isio ydi bod mor agos i'r dŵr â phosib. Wedyn, ma' nhw'n dŵad ben bora, i gael lle. A phan ddaw 'na un allan, ma' 'na hannar dwsin yn gwitiad i fynd i mewn yn ei le fo. Ond pan fydd hi ddim yn braf, ma' nhw fel ieir heb ddim penna. Mi ân nhw rownd a rownd, i mewn ac allan ac i mewn ac allan.'

Perthyn i Neuadd Goffa Abersoch mae'r darn tir a Bobs yn ei rentu oddi ar law Pwyllgor y Neuadd am swm penodol. Y gamp wedyn ydi adfer y rhent ac ennill cyflog byw. Rhaid bod y busnes wedi talu dros y blynyddoedd. Ei fwriad yn wreiddiol, wyth mlynedd ar hugain yn ôl, oedd iddo fod yn waith un haf a darganfod amgenach gwaith wedyn. Ond yma mae Bobs o hyd.

Fe'i holais am y newid a welodd. Ond daeth cwsmer arall at y cwt, '*Thanks. That will be four pounds*. Na, dydi Abarsoch ei hun ddim wedi newid cymaint â hynny. Y peth mwya ydi maint y ceir. Car bach fel hwn rŵan,' a phwyntio at Nissan Micra, 'dyna oedd gin pawb yn y dechra, ond rŵan ma' nhw hefo honglad mawr. Weithia, dach chi'n gweld y rhai ifanc 'ma'n dŵad i mewn hefo ryw gar gwerth dros ugian mil o bunna. Wedyn dach chi'n gofyn i chi'ch hun, be ydw i'n neud yn fama yn bustachu? Ond dim iws colli tempar, nagdi?'

Ond roedd hi'n anodd imi feddwl am Bobs yn chwythu ffiws ac yntau'n pwyso mor hamddenol dros gefn y ddôr, mor ddymunol hefo'i gwsmeriaid – 'ieir heb ddim penna' neu beidio – a'r cwsmer nesaf yn eiddgar i dalu.

Yn nes ymlaen, fe'i gwelais o'n cau drysau'r cwt ac yn ymlwybro am y bŷs – bŷs, sylwch – a'i cludai'n ôl i'w gartref ym Mhwllheli.

Bŷs 'O Ddrws i Ddrws' ger eglwys Llanbedrog. John Griffith, y gyrrwr, yn rhoi help llaw i un o'r teithwyr.

Serch y cynnydd mewn cyfleusterau teithio dydi pobman ym Mhen Llŷn ddim yn hwylus o agos. Mae yna o hyd fannau sy'n anhygyrch, yn arbennig felly i rai sy'n llai abl neu heb adnoddau i deithio. Ond erbyn hyn, mae yna elusen arbennig, gwasanaeth gwirfoddol, sy'n medru cludo rhai 'o ddrws i ddrws'.

Un bore, wrth deithio yn y bỳs amlbwrpas, mi ges i sgwrs hefo un o'r teithwyr, Marian Thomas. Mae Marian yn byw ym mhentref Pistyll ac roedd hi'n teithio i lawr i Nefyn i godi'i phensiwn.

'Ydach chi o Pistyll 'ma erioed?'

'Nagdw, 'ngwas i. Dw i'n enedigol o Lithfaen. Pentra bach yng ngodra Mynydd yr Eifl.'

'Mi fasa hi'n chwith iawn ichi heb y gwasanaeth yma, yn basa?'

'O basa, erbyn heddiw. Y ddau fab a'r ferch yng nghyfrath, ma' nhw'n ffeind iawn. Ond mae'n nhw'n gweithio yn y dydd.'

Wedi iddi godi'i phensiwn, roedd Marian yn barod i gael dychwelyd i'w chartref.

'Dach chi wedi ca'l pob dim rŵan?'

'Do, diolch yn fawr iawn.'

'Dach chi ddim isio galw mewn siop arall?'

'Dim heddiw, yn digwydd bod.'

Wrth deithio'n ôl, roedd yna gyfle i holi gyrrwr y bŷs, John Griffith, am y trefniant. Fel yr eglurodd John, llwyn wedi tyfu o hedyn ydi O Ddrws i Ddrws. Fe ddechreuwyd ar y gwaith mewn cartref yn Nefyn ond bellach mae gan y fenter swyddfa mewn man canolog yn y dref. Yr amcan, wrth gwrs, ydi darparu cludiant ar gyfer rhai sydd ag anawsterau teithio ond rywfodd mae yna fwy iddi na hynny. Mae'n brawf o'r gymdogaeth dda sy'n dal i ymdroi ym Mhen Llŷn o hyd – serch pob newid.

Un wahanol yw fy lôn innau
er mai'r un heli, 'run gwynt piau
yr un un eithin arni hithau,
yr un rhedyn ar ei throadau.

Myrddin ap Dafydd

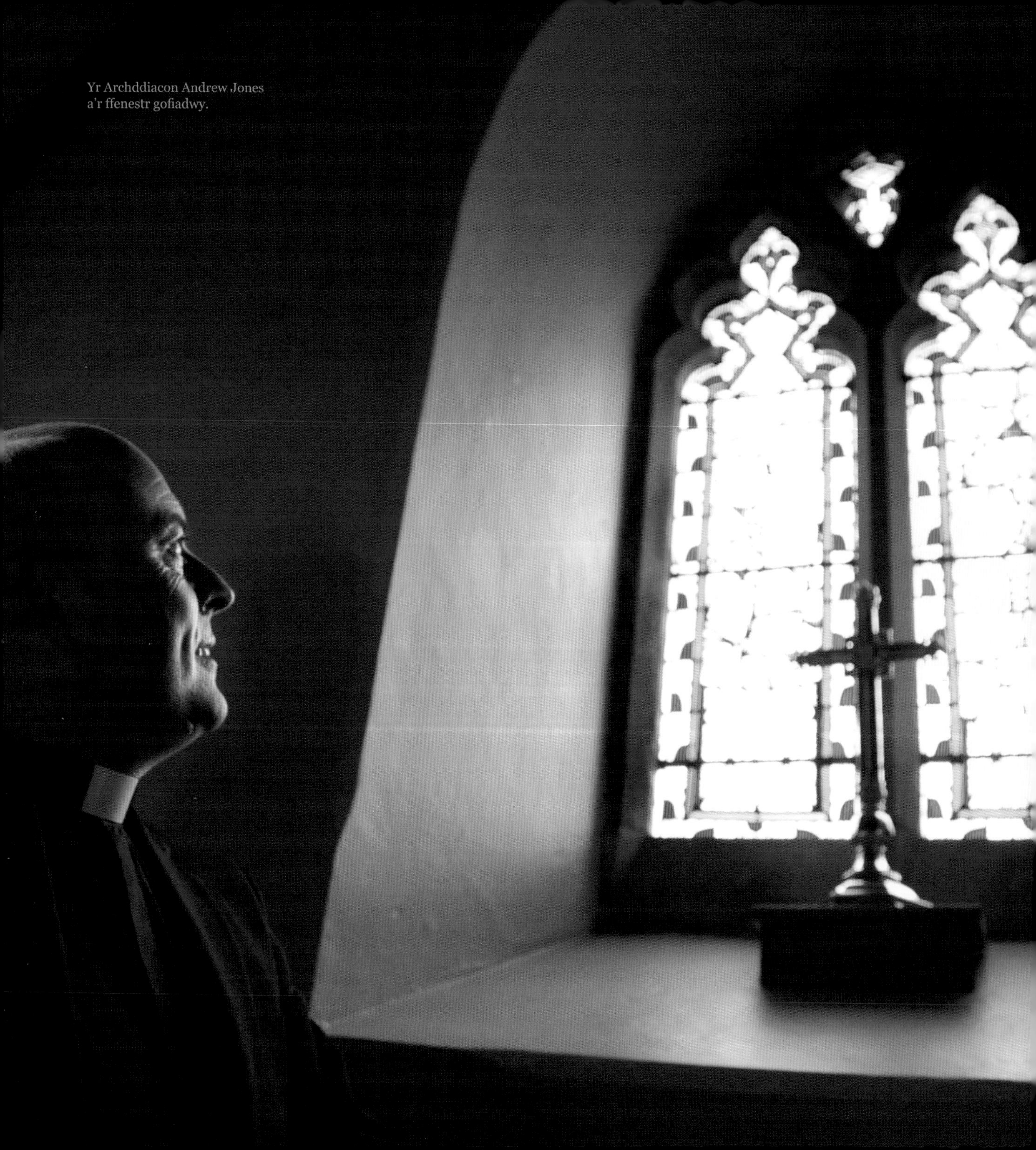

Yr Archddiacon Andrew Jones
a'r ffenestr gofiadwy.

LLŶN A CHREFYDD

Mae Llŷn a chrefydd yn stori sydd gyn hyned â'r pentir ei hun a chyn lleted. Ond i mi, mae hi hefyd yn stori bersonol. Ym mhentref Llangian y cychwynnodd y bererindod i mi ac roedd gan gapel Smyrna a'r eglwys blwyf ran yn y stori. Ond wrth ailymweld, y man cychwyn i mi, fel bob amser, oedd 'Siop Luned'. Wedi'r cwbl, yn y siop honno mae yna gadair lle y gall, neu'n wir lle y disgwylir i gwsmer oedi neu hyd yn oed ymdroi. Yn y fan honno y doir i wybod, nid hanes ddoe yn unig ond sut mae pethau ar hyn o bryd.

Wedi eistedd yn hedd capel Smyrna, sydd ynghanol y pentref, ro'n i'n gweld wynebau, clywed lleisiau, yn ail-fyw profiadau ac yn cofio penderfyniadau a wnaed. Nid bod y gymdeithas honno'n berffaith. Yn ystod fy mhlentyndod i, bu'r capel yn theatr i gythraul canu ar ei orau, un a rannodd y gymuned yn ddwy a rhwygo teuluoedd. I mi, hwyrach, bu gweld yr helynt hwnnw yn gymorth i sylweddoli y gall amherffeithrwydd ein huno ni'n ogystal.

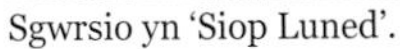

Sgwrsio yn 'Siop Luned'.

Nid oes ond un Smyrna i mi.

Eto, o'r gynulleidfa yn Smyrna aeth pedwar ohonom i'r weinidogaeth, dau yn nechrau'r Chwedegau a'r ddau arall yn nechrau'r Wythdegau. Y tristwch i mi'r bore hwnnw oedd bod fy nghydoeswr i, Richard John Evans, 'Dic Glansoch', wedi'n gadael. Gweinidog a fu Dic wrth ei alwedigaeth. Ond fe ddaeth John a Robert, Llawrdre gynt, yno i gadw cwmni imi. Chwarter canrif yn ôl, dychwelodd Robert i fod yn weinidog ym Mhen Llŷn. Bu John, hefyd, yn bugeilio eglwysi cyn ymuno ag Adran Crefydd Radio Cymru a dod yn llais cyfarwydd.

Gan mai oddi mewn i furiau Smyrna y teimlais i'r hyn a elwid ar y pryd yn 'alwad' i'r weinidogaeth Gristnogol roeddwn i'n awyddus i wybod a oedd gan y ddau frawd brofiadau tebyg imi. Roedd John yn rhannu profiad digon tebyg, ond ei fod o, erbyn hyn, yn dehongli'r alwad yn nhermau cyfleoedd gwahanol. Yn ddiweddarach, ac mewn man arall, y cafodd Robert y profiad.

Oherwydd y dirwedd a'r neilltuaeth, hwyrach bod yna duedd i feddwl am hanes crefydd yn Llŷn fel rhywbeth tawel, heddychlon. Bu yma gynnwrf mawr mewn sawl cyfnod, nid rhyfeloedd agored bob tro hwyrach, ond math o grochan yn ffrwtian yn gyson. Gwelwyd pobl oedd ag argyhoeddiadau dyfnion yn dadlau gyda'i gilydd ac, ar dro, yn clwyfo'i gilydd – weithiau'n llythrennol.

Mae eglwys Pedrog Sant mewn man cysgodol sy'n arwain i lawr i draeth Llanbedrog, gyda nant fechan yn llifo'n gyfochrog; oddi mewn mae hi'n eglwys gain a'r tawelwch i'w deimlo. O'r herwydd, mae hi'n anodd coelio i'r fan fod yn llwyfan i frwydro a halogi enbyd yn nyddiau Oliver Cromwell a'r Rhyfel Cartref – fel yr eglurodd y Rheithor, yr Archddiacon Andrew Jones. Y cam cyntaf oedd fy arwain i at sgrin yng nghorff yr eglwys.

'Mi roedd trigolion Llanbedrog, mae'n debyg, wedi clywad bod Cromwell a'i filwyr ar eu ffordd i Lŷn. A'r peth cynta wnaeth y plwyfolion oedd tynnu hon o'i lle, a'i chladdu hi dan y tywod ar draeth Llanbedrog'

'Ond ma' hi'n ôl yn ei lle erbyn hyn?'

'Ydi. Wedi i Cromwell fynd adra, dyma nhw yn i'nôl hi, ac ma' hi yma byth.' Wyddoch chi, stabal i filwyr Cromwell oedd yr eglwys yma am gyfnod.'

Wedyn, dyma Andrew yn fy arwain i fyny grisiau digon serth i stafell gyfyng yn nhŵr yr eglwys, i eistedd wrth ymyl ffenestr liw hynod o drawiadol. Mae'r gwydr, mae'n debyg, yn mynd yn ôl i'r drydedd ganrif ar ddeg ac arbenigwyr ledled Prydain yn dŵad i gael golwg arno.

'Ond fe falwyd y ffenast yn ogystal?'

'Do. Ond ma'n debyg bod pobol Llanbedrog wedi casglu'r gwydr, 'i osod o mewn bocs a'i guddio fo dan stepan drws yr eglwys.'

'A phryd daeth o i'r fei wedyn?'

'Ryw gan mlynadd yn ôl fe roddodd teulu Madryn anrheg i eglwys Llanbedrog – tŵr. Ac wrth iddyn nhw dyllu i osod sylfeini'r tŵr, dyma nhw'n cael hyd i'r bocs yma â'i lond o wydr. Ac wedyn, be neuthon nhw ond 'i osod o yn y ffenast.'

Arall, nid ei ffenestri, ydi gogoniant Capel Newydd, Nanhoron – yr hen dŷ cwrdd o'r ddeunawfed ganrif. Fel y canodd Cynan iddo:

> Ni chei yma wawr amryliw:
> Dwl yw'r gwydrau megis plwm . . .

Cafodd John Gruffydd Jones, y prifardd a'r prif lenor, ei fagu o fewn dau dafliad carreg i'r Capel Newydd. Ond wedi inni'n dau gyrraedd at ddrysau'r hen dŷ cwrdd dyma hwyl John yn newid. Cyn cyrraedd at y 'capel bach gwyngalchog' roedden ni'n dau wedi bod yn sgwrsio'n ddiddan ddigon am ddyddiau ysgol.

Y gwydrau a ddiogelwyd wedi'u hailosod yn ffenestr eglwys Llanbedrog.

Ger y Capel Newydd a hithau'n eira.

'Capal ofn ydi hwn wedi bod i mi, cofia,' ac roedd yna wewyr yn y llygaid. 'Sgwn i ydi'r elor fydda'n arfar cario arch y meirw erstalwm yn dal yma?'

Ro'n innau, ar y funud, yn ei chael hi'n anodd i droi'r goriad. Hwyrach bod y clo wedi bod yn y drws er 1769, pan godwyd y capel. Cofio wedyn fod yr allwedd yn troi o'r chwith i gloeau cyffredin. Fel y dylai pethau fod, hwyrach, gan mai anghydffurfwyr a'i cododd. A dyna agor y drws.

'Unwaith y bûm i mewn yma o'r blaen,' eglurodd John. 'Ia, "dim ond pridd sydd hyd ei lawr", fel deudodd Cynan.'

'Ond bod hwnnw, bellach, yn un carpad gwyrdd.'

'Mae o'n dal ar y wal.'

'Sut?' holais.

Daeth braw eto i wyneb John, 'Ma'r elor 'na'n dal ar y wal. Yn fancw, ar y chwith i'r pulpud. Dyna ddaru godi'r ofn.'

Roedd yn well i mi newid cywair, 'A hon John, dw i'n meddwl, oedd sedd Plas Nanhoron.'

'Ac yn hon y bydda Catherine Edwards yn ista? Elli di feddwl amdani, yn fama?'

'Yn llygad y pregethwr. Ac mi glywis ddeud am y ffenast acw, uwchben y

PORTREAD

Catherine Edwards

Hogyn ifanc o'n i pan syrthiais mewn cariad hefo gwraig Plas Nanhoron. Gweddw oedd hi ar y pryd a mam i bump o blant. Mae'n debyg na fyddai'n priodas ni, petai pethau wedi dŵad i hynny, byth wedi gweithio. Yn un peth, roedd cefndir y ddau ohonom mor wahanol; hi'n ferch i deulu o uchelwyr, wedi'i magu yn Chelsea, a minnau'n fab ffarm yn Llŷn a 'nhad yn denant i deulu'i gŵr hi. Ond chwarae teg, fe ddysgodd hi Gymraeg. Ond beth am y gwahaniaeth mewn oedran wedyn?

Roedd hi wedi colli'i gŵr o dan amgylchiadau anodd iawn. Ar y pryd, roedd o i ffwrdd yn y llynges a phan aeth hi i'w gyfarfod i dde Lloegr mi glywodd ei fod o wedi marw ar y môr. Mi fûm i'n meddwl llawer amdani yn ei phrofedigaeth ac ymhell o'i chartref. A rhyw dri mis oedd er iddi golli'i thad.

Barn un neu ddau oedd y byddai crefydd wedi'n cadw ni hefo'n gilydd. Achos pan oedd hi yn nyfnder ei phrofedigaeth mi gafodd dröedigaeth lachar, troi'i chefn ar Eglwys Loegr ac ymuno â'r Annibynwyr. Cofiwch, mi fyddai hi wedi bod yn anodd iawn ar aelodau'r Capel Newydd heb ei chefnogaeth hi. Trueni i gymaint o gelwyddau gael eu dweud amdani. Na, nid hi gododd yr adeilad; roedd y lle ar ei draed cyn iddi gael ei thröedigaeth. Roedd rhai o fy nheulu i yn aelodau yno, teulu Blawty felly, ac mi fyddai'n rhaid bod wedi gwahodd y rheini i'r briodas.

Mi fydda i'n meddwl llawer am y dyn tywyll ei groen hwnnw, fu'n was i'w gŵr hi, deithiodd bob cam i Nanhoron hefo cudyn o'i wallt; roedd ei gorff o wedi'i gladdu yn yr eigion. A beth am un o weithwyr y Plas ddaru ei helpu hi, ar y dechrau, i ymgodymu hefo'r Beibl Cymraeg?

Ond wedyn, petaem ni wedi priodi wn i ddim pa mor hawdd a fyddai cyd-fyw. Gwraig go benderfynol oedd hi, mae gen i ofn. Mae gen i lun ohoni ac mi fydda i'n edrych arno'n reit aml. Eto, heb ei chyfraniad hi mi fyddai fy ngwreiddiau ysbrydol i'n dipyn tlotach.

A dyna finnau wedi cael agor fy nghalon ar bapur. O! gyda llaw, nid am wraig bresennol Plas Nanhoron, Bettina Harden, dw i'n sôn. Mi wyddoch fel mae straeon yn mynd ar led. Er imi gael croeso ganddi hithau wrth inni ymweld â'r Plas. Yn wir, wrth gyrraedd, bu'n rhaid imi roi saith cusan iddi (roedd yna wyth i fod i gyd) wrth inni ffilmio'r digwyddiad o wahanol gyfeiriadau.

Un peth a wn i, mae ganddi hithau gryn serch at Catherine Edwards, gwraig y Plas yn y ddeunawfed ganrif – a chyda honno y syrthiais i mewn cariad. Y pnawn hwnnw, roedd hi'n braf cael eistedd yn harddwch yr ardd a greodd Catherine a chael gweld un o'i llyfrau hi – llyfr am arddio. Meddai Bettina Harden amdani mewn Saesneg â'i raen yn ddiarth i mi, '*I just think she was a woman of spirit and determination and thoroughly nice.*' A dw innau'n dal mewn cariad hefo Catherine Edwards, 1740-1811.

John Gruffydd Jones, a'r 'elor 'na'n dal ar y wal'.

pulpud, bod honna'n agor pan oedd hi'n dywydd braf.'

'A mwy o gynulleidfa tu allan na thu mewn, ma'n debyg.'

Roedd hi'n ddigon da gan John, a finnau, adael y Capel Newydd. O gael ei agor mor anfynych mae'r awyrgylch yno'n drwm a mwll.

A gadael y lle, a'r argyhoeddiadau dyfnion, fu'r hanes wedi rhyw ganrif o addoli. Un rheswm oedd diboblogi yn yr ardal – ardal Rhos Gwerthyr – wedi'r ddeddf i gau'r tiroedd comin. Y rheswm arall oedd i'r Annibynwyr godi addoldy newydd ym mhentref Mynytho, gerllaw, a dyna ble roedd y boblogaeth erbyn hynny.

Yr arbenigwr pennaf ar hanes ymweliadau Howel Harris â Phenrhyn Llŷn ydi'r Parchedig Ddr Geraint Tudur. Roedden ni'n dau wedi cyfarfod ger Coed Caerdydd, yn agos i Blas Cefnamwlch. Dyna'r fan, o bosibl, y byddai Howel Harris a Madam Sidney Griffith, gwraig Plas Cefnamwlch, yn marchogaeth eu ceffylau wrth gyrchu neu ddychwelyd o ryw gwrdd diwygiadol neu'i gilydd. A dyma ofyn i Geraint beth oedd apêl y diwygiwr.

'Wel oedd o'n ddyn poblogaidd, doedd? Ac roedd merched yn cael eu tynnu ato fo, does dim dwywaith am hynny. Oedd o'n cael ei gyfri'n dipyn bach o *ladies' man*. Ac oedd y stori'n achosi embarasment, fasa hyd yn oed yn gneud ffilm.'

A does yna ddim sy'n talu'n well am ei lle mewn llenyddiaeth greadigol neu ddrama deledu na stori garu dda. O osod honno wedyn yng nghyd-destun hanes cyfnod arbennig, mae'r dirgelwch yn tyfu a'r rhamant yn cynyddu.

'Fasa'r sgandal yna yn digwydd heddiw, Harri, mi fasa dy ffôn di'n canu yn dy bocad di rŵan, dwi'n siŵr. Na, mi oedd hi yn sgandal fawr.'

Mae'r stori'n dechrau, yn ôl Geraint, ym mis Hydref 1748 pan ddaeth Harris i fyny i'r ardal yma i gynnal cyfarfodydd. Fe aeth Sidney Griffith i un o'r cyfarfodydd hynny ac mi gafodd Harris wahoddiad i fynd i Gefnamwlch y noson honno, ac mi aeth. Dyna'r pryd y dalltodd Harris ei bod hi newydd gael tröedigaeth.

'Mi fydda Harris, yn bydda, yn sôn amdani fel ei lygad o, ei fraich o?'

'Roedd o wedi cael y syniad o'r Hen Destament, bod Duw yn darparu llygad; llygad fydda'n nabod y gwirionadd. Yn ôl Harris, roedd Sidney Griffith yn un o'r bobol a ddewiswyd gan Dduw i broffwydo'r dyfodol.'

Mi fyddai Harris a Madam Griffith yn teithio'r wlad yng nghwmni'i gilydd, yn mynd i gyfarfodydd a hithau yn ymweld yn gyson â Threfecca, cartref Harris.

'Fydda 'na fawr o wên ar wynab Anne, gwraig Howel Harris, pan fydda Madam Sidney yn landio ar eu stepan drws nhw ac yn aros yn eu cartra nhw am gyfnoda hir. Mi gath hi stafall arbennig, ac un llawar iawn gwell nag Anne, gwraig Howel Harris. I bob pwrpas, mi ddaru Sidney Griffith wneud ei chartra yno.'

'Sut ma' deall peth fel'na?'

'Y gwir amdani ydi, gwraig yn ei chyfnod oedd Anne Harris. A'i gŵr hi gafodd y gair ola.'

'Ond be am William Griffith, ei gŵr hi, yma yng Nghefnamwlch?'

'Yn y diwedd, mi syrthiodd William Griffith i lawr y grisia a thorri'i wddw, mae'n debyg. Ond roedd Sidney Griffith i lawr yn Nhrefecca a fan'no cafodd hi'r newyddion. Ond roedd hi, wrth gwrs, wedi proffwydo y bydda William yn marw, fel yr oedd hi wedi proffwydo y bydda Anne yn marw, a thrwy hynny y bydda hi a Howel Harris yn medru dŵad at ei gilydd.'

'Sgwn i be oedd ymateb pobol, ar lawr gwlad, i sgandal o'r fath?'

'Oedd y werin, wrth gwrs, yn gweld rhwbath doniol iawn yn digwydd, oedd yn cyfiawnhau'u rhagfarnau nhw i gyd. A dw i ddim yn amau nad oedd 'na lot fawr o chwerthin yn mynd ymlaen.'

Yn y môr, yn agos i bentref prysur Abersoch mae Ynysoedd Sant Tudwal, y Fawr a'r Fach. Yn blentyn, mi fyddwn yn eu gweld nhw'n ddyddiol wrth gyrraedd a gadael Ysgol Mynytho – os nad oedd hi'n ormod o niwl. Fe soniai Mam, a aned yn Abersoch, am ymdrech un 'Father Hughes' i sefydlu – neu, hwyrach, ailsefydlu – mynachlog ar yr Ynys Fawr. Ond clywed yn ail-law oedd hynny a gweld yr Ynys o bell. Yna, daeth cyfle imi gael golwg agosach ar yr Ynys Fawr a dysgu mwy am yr hyn a ddigwyddodd.

Ond y pnawn hwnnw, o edrych i lawr i gyfeiriad Ynysoedd Sant Tudwal, o odre'r Foel Gron, doedd hi ddim yn edrych fel tywydd i fynd i forio. Roedd yna haenen o niwl haf yn drifftio ar hyd y Rôds o'r Penrhyn Du i Drwyn Llanbedrog. Ond wedi inni gyrraedd yr harbwr yn Abersoch, fe giliodd y niwl a throi allan i fod yn un o bnawniau brafia'r haf i gyd.

Ym mis Rhagfyr 1886, yn nannedd y gaeaf, y cyrhaeddodd y Tad Henry Bailey Maria Hughes bentref pysgota Abersoch am y waith gyntaf. Fe alla i ddychmygu syndod y pentrefwyr o'i weld o'n cyrraedd yn ei glogyn du, ei ffedog wen a chwfl am ei ben – yn unol ag arferion gwisgo Urdd y Brodyr Duon. Y bwriad gwreiddiol oedd croesi hefo'r llanw cyntaf posibl a mynd ati i godi mynachlog ar yr Ynys Fawr, yr un ddwyreiniol. Rhentu dau fwthyn yn y pentref fu raid i'r cwmni nes deuai gwell tywydd.

Ond roedd hi'n haf, a'r tywydd y pnawn hwnw ar ei orau, pan hwyliwyd allan yng nghwch Meirion ac Yvonne i gael golwg ar yr Ynys.

'A hwn ydi Bae'r Capal, Meirion?'

'Ia, dyna mae o'n cael ei alw o hyd.'

'A hynny, wrth gwrs, oherwydd y Tad Hughes.'

'Gyda llaw, welwch chi'r morlo 'na?' holodd Meirion, yn pwyntio. 'Yr un hefo llygad llwyd.' A dyna lle roedd yna un, yn bobian ei ben i mewn ac allan o'r dŵr, fel petai o'n croesawu ffrindiau. 'Mi ddaw hwnna at y cwch bob tro down ni yma.'

Mi wyddwn y byddai'r Tad Hughes a'r mynaich yn codi cnydau ar yr ynys, ond o edrych ar y tir roedd hi'n anodd iawn gwybod sut. Fel yr eglurodd y ddau imi, does yna ddim dŵr glân ar yr ynys a does yna'r un ffynnon yno. Ond serch hynny, roedd hi'n arfer gan rai, unwaith, i gadw ychydig o ddefaid ar yr Ynys Fawr – am gyfnodau byrion – ac yn eu plith roedd un o hynafiaid Meirion.

Roedd y Tad Hughes wedi'i eni yng Nghaernarfon ac wedi'i dröedigaeth at Babyddiaeth, yn ddwy ar bymtheg oed, mi ychwanegodd Maria at ei gynffon enwau. A'r sôn oedd, yn ôl Myrddin Fardd, ei fod o'n alluog i bregethu mewn deuddeg iaith.

A'r dŵr yn llepian yn ddiog yn erbyn ochrau'r cwch, roedd hi'n anodd meddwl am y stormydd a welodd y Tad Hughes wrth geisio sylweddoli'i freuddwyd o adfer y Ffydd Gatholig ar Benrhyn Llŷn. Y cam cyntaf fyddai sefydlu, neu adfer mynachlog ar yr ynys. Breuddwydion eraill – nas sylweddolodd – oedd sefydlu lleiandy i ferched ac ysgol Gatholig yn Abersoch, a throi'r ynys yn gyrchfan i bererinion ac yn gladdfa i Gatholigion.

Byw'r bywyd tlawd, tlawd ryfeddol, oedd dewis a bwriad y Tad Hughes ac ar un wedd ei aberth mwyaf fyddai'i lwyddiant. Heblaw'r llafur i adeiladu cysgod a chapel roedd yn rhaid, hefyd, fynd i'r lan i genhadu.

Ac meddai Yvonne, i danlinellu'r gwahaniaeth mewn dau gyfnod, 'Bellach, ma' 'na gychod moethus iawn yn dŵad i fan hyn, ac yn angori yma ar ddwrnod braf fath â heddiw. Ma' nhw'n angori yn sownd yn ei gilydd, hefo partïon, a barbaciw a'r *gin palaces* 'ma. Ac un tro mi fuo 'na briodas baganaidd ar yr ynys yma,' eglurodd, â mymryn o wên, 'ac oeddan nhw'n dawnsio rownd y cerrig, yn fancw, yn noethlymun.'

Ynys Sant Tudwal, yng nghwmni Meirion ac Yvonne.

Fel yr eglurodd y ddau imi, hyd heddiw mae'r ddwy ynys wedi denu pobl fentrus ryfeddol. Un felly, hefyd, oedd y Tad Hughes. Ond bu'r brwydro cyson yn erbyn dau lanw'n ormod iddo. Un oedd llanw gwrthwynebiad, a hynny o du Methodistiaid y cylch yn bennaf. (Serch stori Howel Harris a Madam Sydney roedd y ffydd newydd wedi cydio a gwreiddio.) Llanw cyson y môr a stormydd un gaeaf enbyd oedd y llall. Cwta wyth mis fu hyd arhosiad y Brodyr Duon yn Abersoch ac ar Ynys Sant Tudwal.

Colli'r dydd fu ei hanes yntau, heb ennill fawr ddim tir. Bu farw naw diwrnod cyn Nadolig 1867 ac mae ei fedd ym mynwent eglwys y plwy, ond ar wahân i bawb arall. Hwyrach mai mynnu bod yn wahanol oedd ei arwriaeth.

Fel y nodwyd ar y dechrau, wrth ystyried Llŷn a chrefydd, y cwestiwn cychwynnol oedd ymhle i ddechrau cerdded? Bu'n daith gron, nid o amgylch y penrhyn, nac am i mi amgylchynu'r holl hanes, ond bu'n daith gron am am iddi ddwad a mi'n ol i'r un plwy ac at gwestiwn galwad ac argyhoeddiad. I mi, nid adeilad o frics a mortar, na sefydliad, ydi crefydd ond pobl. Y gwir ydi, mae gen i fwy o ddiddordeb mewn hanes crefyddwyr nac mewn athronyddu ynghylch syniadau. Mae un peth yn sicr, mae yna ddigon o olion crefydda drwy'r canrifoedd i'w gweld ar Benrhyn Llŷn. Ond i mi, pobl Llŷn sydd wedi cario'r groes. A thrwyddynt hwy mae crefydd wedi colli ychydig o'i lliw arna innau.

Ond yma o hyd y mae môr
Iwerddon, fel hen gerddor
a thraw ei alaw'n galw'r
nos a'i dawns ar draws y dŵr.

Iwan Llwyd

Gyda'r dewin Dafydd Davies Hughes yn y Tŷ Crwn.

LLŶN A DIWYLLIANT

Os oes gen i unrhyw afael ar eiriau, clywed pobl yn sgwrsio a thrafod sy'n gyfrifol am hynny. Yn y digwyddiadau bro y byddai hynny'n digwydd unwaith, ac roedd y rheini'n ffynnu ar hyd y penrhyn. Mi fyddai pobl yn ymgynnull i drafod llenyddiaeth, i greu barddoniaeth a mwynhau iaith a diwylliant. Pobl ddi-goleg oedd y rhain, gan amlaf, yn ymhyfrydu mewn chwarae hefo geiriau. Weithiau, dim ond creu cerddi syml, pen-rhaw.

Gymaint oedd y brwdfrydedd, ar un cyfnod, fel y codwyd neuaddau ar draws y penrhyn i gynnal cyfarfodydd a dosbarthiadau ac, yn arbennig, eisteddfodau. Pan gynhaliwyd seremoni i agor Neuadd Mynytho yn niwedd Tachwedd 1935, wedi i'r urddasolion annerch fe wahoddwyd y Prifardd R. Williams Parry i'r llwyfan. Roedd disgwyl iddo yntau ddweud gair; ar y pryd, cynhaliai ddosbarthiadau allanol yn y bröydd. A dyma fo'n tynnu rholyn o bapur o boced ei wasgod, ei ddadrolio a darllen yn gyhoeddus, am y waith gyntaf, englyn i'r diwylliant a gododd y neuadd. Lleol iawn oedd y digwyddiad hwnnw ond fe aeth yr englyn yn un cenedlaethol.

Adeiladwyd gan Dlodi, – nid cerrig
Ond cariad yw'r meini;
Cydernes yw'r coed arni,
Cyd-ddyheu a'i cododd hi.

('Neuadd Goffa Mynytho' ydi'r teitl yn y gyfrol *Cerddi'r Gaeaf*. 'Neuadd Mynytho' ydi'r enw gwreiddiol a chyn belled ag y gwn i, ni chafodd ei chodi i goffáu unrhyw berson na digwyddiad.)

Yr un math o frwdfrydedd oedd wedi arwain at godi Neuadd Rhoshirwaun dair blynedd ar ddeg ynghynt. Ond rhyfedd meddwl, cyn agor y neuadd werinol honno, fe anfonodd gŵr lleol – ar ran y pwyllgor a gododd y 'Pafiliwn' – lythyr crand at 'H. R. Highness, The Princess Mary' yn gofyn ei chaniatâd i alw'r adeilad newydd, The Princess Mary Hall, Rhoshirwaun.

Ar gyfnod, cyn codi'r neuadd, bu hynodrwydd rhyfeddol yn perthyn i eisteddfod a gynhelid mewn sgubor yn yr ardal, 'Steddfod Hyd y Gannwyll'. Yn Neuadd Rhoshirwaun, mi fûm i'n sgwrsio am y digwyddiad hwnnw hefo Catherine Mary Roberts, awdur y gyfrol, *Beirdd y Rhos*.

'Oedd, roedd Steddfod Hyd y Gannwyll yn un unigryw iawn, iawn. Steddfod oedd yn cael 'i chynnal yng ngola cannwyll oedd hi.'

'Hynny ydi, mi roeddan nhw'n golau cannwyll ar ddechrau'r Steddfod?'

'Dyna chi. Wedyn, ar noson wyntog, a'r drafft yn effeithio ar y fflam a'r gwêr yn toddi, mi oedd hi'n steddfod fer iawn. O'i chymharu â phan fydda hi'n noson dawal a'r fflam yn llosgi'n llonydd.'

'A phan fydda'r gannwyll yn darfod roedd y steddfod yn darfod.'

'Oedd. O'r herwydd, Steddfod Hyd y Gannwyll oedd hi'n cael ei galw.'

Ar fur Neuadd Rhoshirwaun mae enwau rhai o enwogion y fro. Yn eu mysg, beirdd a llenorion, enwogion o fyd addysg a byd crefydd. Fe arhosodd rhai yn eu bröydd a daeth eraill i enwogrwydd wedi gadael Llŷn.

'Dw i'n iawn, Catherine, yn tybio fod diwylliant wedi treio yn yr ardal? Ddim mor fyw ag y buodd o?'

'Tydi o ddim mor fyw, ond mae o'n dal yma faswn i'n feddwl. Ma' 'na dîm y 'Tir Mawr' ar y Talwrn. Wedyn, ma'r cynganeddu yn dal yn boblogaidd yma. Ond ddim i'r gradda y buodd o yn ystod cyfnod Beirdd y Rhos. Ond mae o'n dal yma.'

Fe ddywedir fod diwylliant yn ddigon tebyg i win. Gwin ydi gwin bob amser ond bod ei flas, ac weithiau'i liw, yn medru amrywio'n ôl ansawdd y pridd lle mae'r

Catherine Mary Roberts yn adrodd stori'r Steddfod yng ngholau cannwyll.

gwinwydd yn tyfu. Oes yna'r fath beth, bellach, â diwylliant sy'n nodweddiadol o Ben Llŷn ac sy'n unigryw i'r penrhyn?

Lle gwell i ddechrau'r holi nag yn Ysgol Botwnnog. Wrth gerdded i mewn, braf oedd gweld ar un o'r parwydydd deyrnged yr ysgol i Gruffudd Parry. Un a ymfudodd i Lŷn, dŵad yn un o'i phobl, a threulio'i holl gyfnod gwaith yn athro ym Motwnnog. Saesneg oedd ei bwnc, ond roedd o'n un o'r rhai a ddangosodd i amryw ohonom ryfeddod geiriau'r iaith Gymraeg ac, yn bwysicach na hynny, y creugarwch a oedd yn bosibl.

'Dw i'n mynd i osod gwaith cartra i chi. Iawn?' Roedd plant y dosbarth yn

Ysgol Botwnnog yn nwylo 'Musus Maelor'. A hynny heb unrhyw godi llais na bygwth, a'r parch yn llifo ddwyffordd.

Roedd yr ystafell ddosbarth honno'n llawn fel wy. Nid yn unig yn llawn o blant, yn llawn o ddodrefn ond roedd y muriau hefyd wedi'u gorchuddio â phob math o wybodaethau am Lŷn a'r diwylliant.

'Dyma fo'r gwaith cartra. Dw i isio i chi sgwennu deialog, a rhaid i'r ddeialog fod yn cynnwys o leia chwech o idiomau, idiomau Pen Llŷn. Iawn?'

Wedi i Esyllt Maelor osod y dasg, roedd hi'n amser inni symud stondin, gyda threfniant i ddychwelyd i'r ysgol yn ystod yr wythnos i weld y gwaith cartref a osodwyd. Yn y cyfamser, roedd gen innau ragor o waith cartref i'w gwblhau.

Felly, dyma ymweld â Chanolfan Ddiwylliannol Felin Uchaf. Fe'i sefydlwyd hi ychydig dros chwe blynedd yn ôl ar ffarm dair acer ar hugain yn ardal Rhoshirwaun.

Mae camu i mewn i'r Tŷ Crwn, uchel ei do sydd yno – math o echel i weithgareddau amrywiol y Ganolfan – yn brofiad esthetig. Yn un pen, roedd yna dân siriol a chysgod rhag y tywydd drwg oherwydd, y bore hwnnw, roedd hi'n tresio glaw mân ar draws y rhosydd.

'Harri, dowch i mewn o'r glaw 'ma. Croeso i Felin Ucha.'

'A dyma'r tŷ crwn?'

'Ia, hwn ydi'r mwya sgynnon ni. Walia mwd ydyn nhw, yn union fel roedd tai ym Mhen Llŷn unwaith.'

'A'r to yn hesg.'

'Ia. Fyddan ni'n cynaeafu'r hesg yn flynyddol o'r warchodfa natur yn Lôn Cob Bach ym Mhwllheli.'

Hyd yn hyn, tri thŷ crwn sydd yn Felin Uchaf ond mae bwriad i godi dau arall. Fel yr awgrymwyd, y mwyaf o'r tri ydi canolfan y gweithgareddau a chalon y pentref. Yn naturiol, o gofio'r cyfnod, canhwyllau sy'n goleuo'r adeilad. Ar y

Y Tŷ Crwn yn Felin Uchaf.

parwydydd mae yna ganwyllbrenni clai, a'r grefft a roddwyd i mi i'w dysgu – yn y fan a'r lle, ar sail un hanner gwers – oedd creu un.

'Dach chi, Harri, yn tylino'r clai a'i fowldio fo i siâp, te? Yna'i luchio fo ar y wal', a dangos sut. Fe lynodd fy un i, hefyd, ond am ba hyd?

Roedd yr adeilad a'i weithgarwch yn f'atgoffa o dai cwrdd yr Anghydffurfwyr yn y ddeunawfed ganrif. Fin nos, yng ngolau canhwyllau – ac mae bod yn gyfeillgar hefo'r cread yn un o'r athrawiaethau – ceir canu gwerin neu wrando chwedlau, dysgu crefft neu wrando cerddoriaeth, dawnsio neu loywi'r Gymraeg, a sawl

PORTREAD

Therese Urbanska

Sut deuda i? I mi, roedd Therese Urbanska'n bopeth y disgwyliwn i artist ifanc, llachar, fod. Rŵan, nid anffurfioldeb y dillad dw i'n feddwl, er bod ei jersi hi'n baent byw, na'r modrwyau chwaith. Na, roedd ei holl frwdfrydedd hi dros ei chelfyddyd yn dweud pwy oedd hi a beth oedd hi am fod.

Bryncelyn Hall ydi'r cyfeiriad yn y Llyfr Ffôn; clamp o dŷ urddasol ar y ffordd gefn sy'n arwain o Ddyffryn Nanhoron i bentref Rhydyclafdy. Yno y magwyd 'Tess' – a dyna'i henw bob dydd – ac yno mae'i stiwdio hi. Ond mae hi a'i gŵr, Darren, a'u merch fach, Lili, yn byw yn y pentref.

Wrth inni gerdded y gerddi, fe eglurodd imi fod ei thaid, sy'n bur oedrannus erbyn hyn, wedi ymfudo i Loegr o wlad Pwyl tua diwedd yr Ail Ryfel Byd. Nid bod rhaid iddi ddweud hynny chwaith. Mae'r cyfenw'n cyfarth.

'Tess, o ble byddi di'n cael dy ysbrydoliaeth?'

'Pen Llŷn yn arbennig, a'r llefydd lle dw i 'di bod yn chwarae pan o'n i'n hogan fach. Ond 'nes i, hefyd, dreulio deg wsnos fel artist yn byw a gweithio ar Inis Oirr.' Wedi iddi raddio yn y celfyddydau cain fe enillodd un o luniau Tess y brif wobr mewn cystadleuaeth i artistiaid ifanc. Yna, yn 2009, fe dreuliodd hi ddeg wythnos yn gweithio'i chrefft ar un o ynysoedd Aran ar arfordir Werddon. Bu'n sôn wrtha i, fwy nag unwaith, am Darren, ei gŵr, a hithau, a Lili ddeg mis oed, ar yr ynys lom honno yn nannedd yr Atlantig. Storio'r delweddau yn ei hisymwybod wnaeth hi, meddai hi, ond wedi dychwelyd gweld ei chynefin a'i gwaith mewn goleuni gwahanol.

'Ia, Porth Dinllaen ydi hwn,' a fy nghyfeirio at un o'i lluniau. 'Lle dw i'n gyfarwydd iawn hefo fo. O'n i'n arfar treulio lot o amsar ar y traeth yna.'

Erbyn hyn, roedden ni wedi trampio i lawr y grisiau i stiwdio Tess yn seler Bryncelyn. Ac i mi roedd y stafell honno, hefyd, yn bopeth y disgwyliwn i un arlunydd prysur, llwyddiannus fod. A dyma fynd ati i'w holi am ei chrefft.

'Ar dy lun di o Borth Dinllaen ma' 'na ddarna wedi'u gludio?'

'Oes. 'Gin i lot o lunia dw i 'di neud yn y coleg, a dw i'n lecio'u rhwygo nhw i fyny a sticio nhw ar y llun. Mae o'n rhoi chydig bach mwy o hanas i'r llun ei hun.'

'A sut y byddi di'n dewis dy liwiau?'

'Yn fama, 'gin i ryw liw *turquoise*.'

'Rwbath rhwng glas a gwyrdd.'

'Ia. Mae o'n lliw'r môr, tydi? A lliw'r awyr. I mi, dyna 'di'r petha sy'n bwysig.' Ac mae hi'n gweithio gydag amrywiaeth o gyfryngau – pastel, siarcol, inc a gludwaith.

I Therese Urbanska, mae arlunio'n obsesiwn, a hi ddeudodd hynny. Mae bod yn artist, nid yn unig yn alwedigaeth iddi ond yn ffordd o fyw. Mor aml, pobl ymgysegredig i un diwylliant sy'n gyrru pethau yn eu blaenau. O gerdded gerddi Bryncelyn yn ei chwmni, mi ges i'r teimlad ei bod hithau am yrru diwylliant gam ymlaen ar Benrhyn Llŷn a bod hynny o fewn ei chyrraedd hi.

difyrrwch gwerthfawr arall. Ond fe geir rhaglen amrywiol o weithgareddau awyr agored yn ogystal.

Heb arfer gormodiaith, bellach daw pobl o bedwar ban byd i Felin Uchaf. Un tro, pan elwais i heibio, roedd yno lond y tŷ crwn o blant ysgol o Ffrainc. Dro arall roedd yno grŵp o Dde Corea. Ia, De Corea!

Tro drwy'r gerddi organig fu hi cyn ymadael, lle maen nhw'n hau a phlannu'n ôl safle'r planedau. Ond yn ôl y guru – ac mae'r swydd-ddisgrifiad yn ei ffitio fel maneg am law – math o esgus ydi'r gerddi i ddenu pobl yn ôl at y pridd. Nid yn unig mae Dafydd Davies Hughes yn hynod greadigol â'i ddwylo ond mae ganddo, hefyd, athroniaeth sy'n waelodol i'r cyfan. 'Mewn byd lle ma' bob dim gymaint yn y pen, ma'n bwysig fod gynnon ni angor yn y pridd. Ac ym Mhen Llŷn 'di hwnnw ddim yn beth diarth. Amaethyddiaeth, wrth gwrs, ydi iaith Pen Llŷn ac mae yna ddiwylliant yn y pridd.'

Mae'r Prif Lenor Margiad Roberts yn byw ar Benrhyn Llŷn ac yn sgwennu am yr hyn sydd o'i chwmpas hi. Mae yna thema amaethyddol yn rhedeg drwy'i gwaith hi bron i gyd ac roedd poblogrwydd ei chyfres, *Tecwyn y Tractor*, yn dangos hynny.

Doeddwn i ddim wedi bod yn Nhyddyn Talgoch Uchaf, tyddyn ar lechwedd uwchben y môr yn ardal Bwlchtocyn, er 1947. Mi fûm i'n swmera yn ôl a blaen ar hyd y buarth yn weddol ddiweddar. Roedd hynny pan o'n i'n ysgrifennu cyfrol o'r enw *Iaith y Brain ac Awen Brudd*, ac am gyfeirio at y lle. Ond doeddwn i ddim am gwblhau taith 'Llŷn a diwylliant' heb roi cynnig ar agor drws yr hen dŷ. I mi, drws atgofion ydi o erbyn hyn, ac yn prysur fynd yn ddrws dychymyg.

Tyddyn Talgoch Uchaf oedd cartref fy Modryb Meri a'i hunig ferch, Ann Jane, ac ar yr aelwyd honno, hyd y gwn i, y deliais i'r clwy' ysgrifennu. A dal y clefyd hwnnw mae rhywun, yn fy marn i, yn ddigon tebyg i fel y bydd dyn yn dal annwyd.

Bardd gwlad oedd Mary Griffith yn canu yn nhraddodiad y Gododdin; canu am bobl o'i chynefin a syrthiodd yn y frwydr. Yna, cyhoeddi'r galarganeuon hynny, wedyn, yn *Yr Herald Cymraeg* neu'r *Genedl*. Ond yr epig oedd cerdd flynyddol o'i gwaith, a gyhoeddid cyn diwedd Ionawr, am bob un yn y plwy a fu farw yn ystod yr hen flwyddyn. Rhwng y Dolig a dechrau blwyddyn y byddai'r bardd yn caboli'r gwaith hwnnw. A dyna pryd y byddwn innau yno, am wsnos o wyliau, er mwyn i 'nhad a mam gael mymryn o heddwch wedi pluo'r gwyddau.

O agor y drws, wedi hanner canrif a mwy, a fyddai'r darlun a gofiwn yn chwalu a rhoi lle i realaeth oer? Tybed a fyddai'r ddwy yno: fy Modryb Meri, y hi wedi marw er 1947, ac Ann Jane, a oedd yn llawer hŷn na mi ac a briododd yn nes ymlaen â gŵr a ddaeth yno ar yr esgus ei fod yn borthmon moch? Roedd y ddwy yno. Yr ystafell, mae'n wir, wedi newid ei dodrefn, os nad ei siâp, ond fe'i hail-ddodrefnais yn berffaith yn fy meddwl.

Roeddwn innau yno, yn eistedd wrth y lle tân yn chwarae 'whist sefn' hefo fy nghyfnither a honno, chwarae teg iddi, heb sadio gormod i ddisgyn i ryw ddifyrrwch felly. Yn bwysicach, roedd y bardd ei hun yno, wrth y bwrdd yn llewyrch y lamp baraffin, yn derbyn gair a gwrthod gair, yn cywasgu llinell a chryfhau odl.

Modryb Meri yn ferch ifanc, tua 1900 hwyrach.

Er fy mod gyda'r mwyaf rhyddieithol yn bod, mae'n debyg mai'i gweld hi wrth ei gorchwyl a drosglwyddodd yr afiechyd i mi. O ddilyn hynt diwylliant ar Benrhyn Llŷn, ro'n innau'n awyddus i ddangos darlun o'r trosglwyddo hwn. Yn un peth, am ei fod yn gofnod o gyfnod arbennig ac yn ddrych o'r math o ddiwylliant a ffynnai, unwaith, ar y pentir. Ond beth am heddiw? Aeth yn bryd i ddychwelyd i Ysgol Botwnnog i weld 'yr iaith ar waith'.

Erbyn imi gyrraedd, roedd yr ystafell ddosbarth gyfyng yn debycach i lwyfan noson lawen. Nid bod yno unrhyw fynd dros ben llestri ond bod y disgyblion, yn hytrach na rhoi imi restr sych o ymadroddion, am ddangos idiomau ar waith mewn gwahanol sefyllfaoedd. Caed cyfweliadau radio, adroddiadau i *Llanw Llŷn*, sgets a sgwrs mewn ocsiwn neu fart. Roedd hyn, yn wahanol i addysg ddoe, yn gwneud idiom yn weladwy, yn gofiadwy ac yn enghraifft o ddysgu drwy berfformio.

Ond faint o'r ymadroddion a glywyd a oedd yn arbennig i Lŷn mae hi'n anodd dweud. Er enghraifft, pan holais am ystyr 'mygu fel Dolffin' fe aeth hi'n big ar bawb yno – yn cynnwys Musus Maelor. Pa ryfedd? Heb weld bod i'r gair 'Dolffin' brif lythyren, pa obaith oedd yna? Stemar oedd y *Dolphin* yn mygu'i hochr hi wrth grwydro glannau Llŷn, ond aeth honno'n froc môr ers blynyddoedd ac, o'r herwydd, collodd yr idiom ei ystyr.

Wrth fynd o ddesg i ddesg, fedrwn i ddim llai na sylwi mai idiomau gwledig, rhai â sawr y pridd arnyn nhw, oedd yn mynd â hi. Roedd 'dim gwerth rhech dafad' yn boblogaidd. Ond roedd hynny, hwyrach, i geisio siocio'r ymwelydd! Mewn sgets neu gyfweliad hefo *Taro'r Post*, er enghraifft, ceid ambell ebwch o reg yn llithro i mewn – rhai digon diniwed mae'n rhaid cyfaddef – a Musus Maelor yn pwysleisio fod yna 'eiriau gwell ar gael'. Oedd, roedd gan blant Ysgol Botwnnog gasgliad cyfoethog o idiomau ac roedd eu rhoi ar waith yn profi eu bod yn deall yr ystyron. Ond beth am farn yr athrawes?

'Dwi'n meddwl bod rhan fwya o'r plant yma'n cymysgu yn y gymuned, te. Ma' nhw'n gneud llawar yn gymunedol, ac ma'u teuluoedd nhw'n byw yma. Felly, ma'

nhw wedi etifeddu'r iaith a ma' nhw'n 'i chlywad hi. Dwi'n teimlo bod lot o blant heddiw yn dueddol o fod yn ynysig iawn. Ar ôl mynd adra ma nhw'n cyfathrebu ar y rhyngrwyd, ar y gweplyfr felly. Ond yn Llŷn, ma' nhw'n gallu mynd i siop leol a chael sgwrsus hefo pobol leol. Ma' nhw'n clwad yr iaith naturiol, tydyn?'

'Ond Es,' ac wedi i'r plant lifo allan ro'n i'n gallu fforddio bod fel erioed, 'ydi'r diwylliant yma'n mynd i ddal i fyw?'

'Gobeithio. Ma' rhaid inni obeithio, bydd?'

Wrth ymadael, roeddwn i'n ymwybodol mai codi angor fyddai hanes nifer fawr o'r bobl ifanc yma, o orfod, a nifer fyth i ddychwelyd. Ond yn mynd â'u diwylliant hefo nhw ac, ar dro hwyrach, yn ei drosglwyddo i eraill mewn ardaloedd gwahanol.

Ydi, mae diwylliant yn fyw ac yn iach ar Benrhyn Llŷn ac yn esblygu i gyfeiriadau gwahanol, fel sy'n ddisgwyliedig ac fel sy'n amod ei barhad. Er enghraifft, symudodd y man perfformio o'r capel a'r neuadd – y bu cymaint aberth i'w codi – i dafarn a chlwb a chaed cyfryngau a sgiliau gwahanol o gyfathrebu.

Ar un ystyr, beth ydi diwylliant ydi ffordd unigryw o fyw i gylch o bobl. Ond rhaid wrth ryw fath o iaith i fynegi'r diwylliant hwnnw, boed hynny drwy ddelweddau neu mewn geiriau. Unwaith roedd hi'n weddol hawdd angori diwylliant wrth ddarn o wlad a'i warchod yn eiddo i lwyth arbennig o bobl, ond gyda'r holl ymfudo sydd ar gerdded aeth hynny'n anodd os nad yn amhosibl.

Pan ddaw'r colsyn melyn drwy'r cymylau,
cydiwn yn hwn, fel y codwn ninnau
ar adenydd uwch dyfnder o donnau,
ac er mai hwyr y gwawria, mae oriau
o goel o hyd i'r golau; – mae'n heulog
heno ar riniog yr hen benrhynau.

Myrddin ap Dafydd

PWLLHELI, CALON LLŶN

Pwllheli ydi calon Llŷn ac mae'r rhwydwaith ffyrdd sy'n gorchuddio'r penrhyn, fel gwythiennau'r corff dynol, yn arwain at y galon honno – iddi a thrwyddi. (Yn union fel mae rhai o ffyrdd Eifionydd yn rhedeg at yr un galon o gyfeiriad arall.) Ond o dderbyn mai Pwllheli ydi calon Llŷn, a ydi'r galon honno'n dal i guro mor gyson ac mor gadarn ag y bu hi? Lle gwell i wrando ar guriad y galon honno nag ar y Maes ym Mhwllheli ar ddiwrnod marchnad?

'Pam ydach chi yma heddiw?'

'Wel, am bod hi'n farchnad 'te.'

'Ma'r farchnad yn dal i'ch denu chi?'

'Ydi, ydi.'

Ar ganol y Maes, ynghanol y stondinau amryliw, roedd Harri Richards yn canu'n arddull yr hen faledwyr a ddeuai i ffeiriau Pwllheli ddyddiau a fu.

Mi fûm yn ffair Pwllheli
A chrwydro'r strydoedd cul,
Fy nghalon yn llawn hyder,
Yn smart mewn dillad Sul;
Llygadu'r genod glandeg,
Ca'l sgwrs 'fo amball un,
Yn methu'n lan â bachu
Hen genod del Pen Llŷn.

Fel gŵr a dreuliodd oes yn was ffarm, roedd gan Harri stori ddiddorol, hanesion a glywodd am y ffeiriau cyflogi a ddenai gannoedd o ffermwyr a gweision ffermydd i Bwllheli hyd at yr Ail Ryfel Byd. Sefyll yn rhes hir y byddai'r gweision, a'r ffarmwr yn symud o un i un gan gytuno ar gyflog neu symud ymlaen i chwilio am well bargen. Ond roedd hi'n bosibl i'r gwas a gyflogwyd, hefyd, gael ei siomi. Mewn eiliad roedd Harri'n hymian baled arall, gan fardd o Fynytho, meddir, a fu'n gweini yn Eifionydd.

> Ym Mach y Saint annifyr
> Mae gwely trwmbal trol,
> Lle bûm i'n treio cysgu
> Ar hannar llond fy mol;
> A chig yr hen hwch focha
> Yn wydyn a di-flas;
> Fe glywsoch am Gydwalad,
> Ŵr calad wrth ei was.

Wrth grwydro'r Maes ar bnawn Mercher cymysg iawn oedd yr iaith bellach. Yn rhannu, hwyrach, i hanner yn hanner rhwng Cymraeg a Saesneg. Cymraes uniaith, mae'n ddiamau, fyddai'r 'Gwenni' honno, yn yr hen gân werin, a 'aeth i Ffair Pwllheli'. Unwaith, mi fyddai'r stondinwyr a ddeuai yno yn mentro briwsionyn o Gymraeg i geisio hybu'r gwerthiant – 'Thank you very much, Musus bach, a fi gweld ti wsnos nesa, yes?' Saeson oedd amryw o'r gwerthwyr welais i,

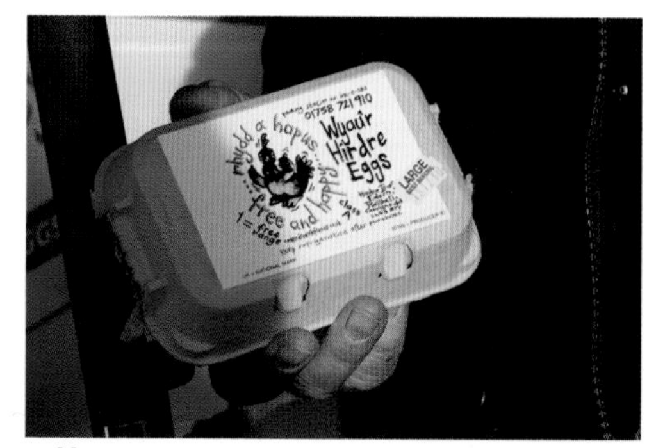

Emlyn Williams, Hirdre Isaf, Edern – yn gwerthu wyau ar bob tywydd.

Harri Richards y baledwr.

ar wahân i ffarmwr o Edern a eisteddai'n hamddenol yn nhrwmbal ei fan a'i wên yn llond ei locsyn.

'Pam dach chi yma heddiw?'

'Trio byw 'te. Fi oedd yr unig un oedd yma mis Ionawr, un dydd Merchar.'

'Dwn i ddim.'

'Ia. Ac oedd hi'n bwrw eira a bob dim.'

'Werthoch chi?'

'Do'n tad.'

'Sut?'

'Ma' rhein yn well wyau na chewch chi'n unlla arall.' Yna, ymroi i chwerthin.

Ar un cyfnod, roedd Pwllheli'n galon Llŷn am mai yno y ceid yr adloniant gwahanol, a hwnnw'n medru ymestyn o sasiwn i syrcas. Y prif adloniant am flynyddoedd meithion oedd y sinema. Mae Neuadd y Dref ym Mhwllheli, yr hen 'Down Hôl' fel y'i gelwid, wedi bod yn dangos ffilmiau ers cyn y Rhyfel Byd Cyntaf. Yna, yn y Tridegau, fe agorwyd sinema fwy moethus a rhoi iddo enw swel – y Palladium. Yn y Pumdegau, i blant a gafodd fagwraeth weddol gyfyng, roedd cael mynd 'i'r dre' ar bnawn Sadwrn i wylio ffilmiau cowbois yn agor bydoedd newydd.

Felly, un bore dyma fy rhoi i eistedd yn un o'r seddau 'swllt a naw', stalwm, yn Neuadd y Dref, i weld a ddeuai'r wefr yn ôl. Do, fe ddaeth arwr mawr y Gorllewin Gwyllt, Roy Rogers, yn ôl i'r sgrin. Roedd o'n marchogaeth Trigger, y palomino gwyn, yn dal i wisgo'i stetson wen, y crys sgwarog a'r sgidiau cowboi. Bron na chlywn i o'n fy nghyfarch i o'r gorffennol pell, '*Howdy Partner?*' Yna, cyn diwedd y ffilm, ei weld o'n marchogaeth tua'r machlud – *Sunshine in the West*. Wrth ei ystlys roedd ei gariadferch, Dale Evans (a oedd yn digwydd bod yn wraig iddo) yn carlamu i'r un cyfeiriad. Bron na chlywn i ganu'r byrdwn, yn ogystal – *Happy trails, till we meet again*.

I gynifer â thair cenhedlaeth o blant y perfformiadau pnawn, roedd Roy Rogers yn ddarlun perffaith o'r hyn y dylai cowboi da fod. A'r stori oedd, ei fod o yn ei fywyd bob dydd yr un mor ddidwyll ac, o'r herwydd, yn un y dylid ei efelychu. Roedd yna saethu enbyd yn Neuadd y Dref a'r Palladium ar bnawniau Sadyrnau a'r Indiaid Cochion, druain – y dwynwyd eu tiroedd oddi arnyn nhw – yn disgyn i'r ddaear fesul un ac un. Eto, fe wyddai pawb ohonom, rhywfodd, mai byd dychymyg oedd o, i'w fwynhau a'i wylio ond nid i'w efelychu.

Cynulleidfa wahanol oedd i oedfa'r nos yn y Palladium a Neuadd y Dref. Y sinema oedd y lle i fynd hefo cariad newydd, neu'r un arferol o ran hynny, a'r rhes gefn a fyddai'r dewis cyntaf. Ar nos Fercher a nos Sadwrn fe ymestynnai'r ciwiau, o gyfeiriad Neuadd y Dref heibio i dafarn Penlan Fawr, ac o ddrysau

Wrth angor yn y Marina.

caeëdig y Palladium ar hyd Ffordd Caerdydd i'r ddau gyfeiriad. Ar adegau felly, fe fanteisiai Tom Nefyn, yr efengylydd, ar y cynulleidfaoedd. Roedd ganddo gystal dawn â'r actorion a oedd ar ddŵad i'r sgrin ond fod ei amcanion, wrth gwrs, yn rhai gwahanol. Ond roedd yn ddigon doeth i roi taw arni pan agorai'r drysau i'r tyrfaoedd lifo i mewn. Darfu am y Palladium fel sinema ers blynyddoedd lawer ond deil Neuadd y Dref i ddangos ffilmiau o hyd yn ogystal â dewis helaeth o adloniannau eraill.

Yn ôl yr hanes, ar ddydd o haf yn 1893 y camodd Solomon Andrews, yr *entrepreneur* enwog, allan o'r trên ym Mhwllheli i archwilio tir a oedd ar werth yno. Yn ôl y stori, ar y dechrau doedd yr hyn a welodd ddim wrth fodd ei

PORTREAD

John Arfon Huws

Hyd y gwn i, oddi ar dalar cae chwarae Ysgol Botwnnog y gwelais i John Arfon Huws am y waith gyntaf. Roedd o'n drawiadol bryd hynny. Rhyw arlliw o fonedd o'i gwmpas o, ac yn ddewin hefo'r bêl gron. Dychwelyd roedd o'r pnawn hwnnw'n gapten tîm o gyn-ddisgyblion i chwarae yn erbyn tîm yr ysgol. Wn i ddim faint o beldroedwyr Ysgol Botwnnog a gafodd chwarae dros eu gwlad, ond fe ddaeth y fraint honno i Arfon – yn erbyn Ffrainc.

Mi fyddai'n chwyrnu, braidd, pe'i disgrifiwn fel mewnfudwr. Doedd y brîd hwnnw ddim yn ei lyfrau! Ond dychwelyd o Lerpwl i Fwlchtocyn ar ddechrau'r Ail Ryfel Byd fu hanes ei deulu, pan oedd Arfon yn naw oed. I ddyn llawchwith fel fi, roedd ei greadigrwydd yn rhyfeddod. Byth er y pnawn hwnnw pan aeth ei athro ysgol, Gruffudd Parry, ag o i weld pensaernïaeth hen eglwys blwy Llanengan rhoes ei fryd ar fod yn bensaer.

Doedd o ddim yn un i ganu'i delyn ei hun, ond pan ad-drefnwyd llywodraeth leol, yn 1973, fe'i penodwyd yn Brif Swyddog Technegol i Gyngor newydd Dwyfor â'i bencadlys ym Mhwllheli. Fel pensaer, gadawodd ei stamp ar yr adeiladau a godwyd yn dilyn hynny, a hyrwyddodd Gymreictod y Cyngor.

Roedd ei ddiddordebau'n lleng a'i greadigrwydd yn ymestyn i sawl cyfeiriad. Yna, ychydig cyn codi angor yn Y Felinheli, a'i gollwng hi uwchben y môr ym Mwlchtocyn, ymunodd â dosbarth dysgu'r cynganeddion. Mae'i gyfrol *Llain yn Llŷn* yn dangos y pensaer geiriau; yn feistr ar y caeth a'r rhydd, ac yn ddiguro am ysgrif bortread. Ymhyfrydodd yn ei dri phlentyn a'u llwyddiannau, a chyfansoddodd englyn yr un i'r naw o wyrion ac wyresau – a hynny'n ôl trefn eu hymddangosiad nhw.

Lluniodd Arfon ei ysgrif olaf ychydig cyn ei farwolaeth. I'r teulu, dyma'n ddiamau'r fwyaf dwysbigol o bob un. Mae iddi onestrwydd pur: 'Nid wyf yn crefydda, nac yn medru dirnad ystyr yr hyn a elwir yn ffydd yn Nuw, nac yn deall yr angen i addoli.' Felly, 'diweddglo biolegol' amdani, a 'llithro i'r llonyddwch mawr yn ôl'.

Roedd carwriaeth Beti, ei weddw, ac yntau'n ymestyn yn ôl i ddyddiau Ysgol Botwnnog. Yn ôl portread hyfryd a luniodd Manon Dafydd, un o'i wyresau, ac a ddarllenwyd ddydd ei angladd, 'Dyma pryd y cyfarfu Taid a Nain. Byddai [Taid] yn ailadrodd y stori am Nain yn dwyn ei gap ac yntau wedyn yn rhedeg ar ei hôl.' Wn i ddim faint o redeg a fu'n angenrheidiol – dim llawer, dybiwn i – ond talodd y rhedeg hwnnw ar ei ganfed. Bu'n briodas hanner canrif, a chwe blynedd ar ben hynny.

Os mai oddi ar dalar cae chwarae Ysgol Botwnnog y cefais i'r cip cyntaf ar Arfon, yn y cynefin y bu gynt yn gweithio ynddo, ym Mhwllheli, y cefais ei gwmni'r waith olaf ond un. Solomon Andrews, y gŵr busnes brigog o Gaerdydd, a'i ddylanwad ar Bwllheli a'r fro oedd ein pwnc trafod. Gyda'r swildod a'r gostyngeiddrwydd a berthynai i'w natur, doedd o ddim yn barod iawn i gydnabod ei ddylanwad mawr yntau ar yr un cynefin.

galon. Ond wedi cerdded glan y môr fe'i cyfareddwyd gan y sefyllfa a'r olygfa, a phenderfynodd y byddai'n troi Pwllheli'n ail Brighton neu'n Bournemouth arall.

Un pnawn, mi fûm innau'n cerdded rhan o'r tir hwnnw yng nghwmni pensaer, y diweddar John Arfon Huws erbyn hyn. Fel yr eglurodd Arfon imi, i ddenu ymwelwyr fe greodd Solomon Andrews bromenâd a chodi gwesty moethus ar y ffrynt ym Mhwllheli. Yna, tu ôl i'r gwesty fe gododd bafiliwn lle y gellid cynnal pob math o ddiddanwch – hyd yn oed ar dywydd drwg. Roedd Arfon, nid yn unig yn gwybod yr hanes ond yn adnabod y bensaernïaeth yn ogystal. Wrth inni gerdded Ffordd Caerdydd, a enwyd felly o barch i Solomon Andrews, tynnodd fy sylw at y tai chwaethus a gododd.

'Pensaernïaeth Fictoraidd ydi hi, reit ysgafn, ac ma' lliw'r fricsan felan yn rhoi rhyw unoliaeth i'r cyfan. Mae o'n atgoffa rhywun o'r tywod sy ar lan y môr.'

Hwyrach mai'r datblygiad mwyaf diddorol oedd gosod cledrau i dram redeg o Bwllheli i gyfeiriad Llanbedrog. I ddechrau, i gario cerrig o Chwarel Carreg y Defaid i godi tai a chreu promenâd ac yna, yn nes ymlaen, i gario teithwyr ac ymwelwyr. Yna, wedi iddo brynu Plas Glyn y Weddw ym mhentref Llanbedrog, a sefydlu oriel ddarluniau yno, gallai ymwelwyr, wedyn, gael te pnawn yn y Plas ac ymuno yn y dawnsfeydd a geid yno fin nos.

Yn ogystal, fe neilltuodd Solomon Andrews aceri o dir ar gyfer chwaraeon. Y 'rec', fel y'i gelwid, o'r gair '*recreation*' am a wn i. Yn y fan honno, roedd yna ddigwyddiadau a fyddai at ddant pobl leol yn ogystal. Er enghraifft, ar y Llungwyn 1911 fe ddaeth 'H. J. D. Astley, Esq' yno i ddangos campau'r monoplên. Yn anffodus, methodd y peilot â chodi'i awyren hyd yn oed dros y wal derfyn ac fe'i chwalwyd hi'n briciau. Ond doedd Astley flewyn gwaeth.

Yn 1976, ar yr union ddarn o dir, fe gododd Cyngor Dwyfor ganolfan hamdden ar gyfer cenhedlaeth newydd a chwiliai am fwyniant, ac ar fur y ganolfan honno mae enw John Arfon Huws.

'Ac mi gest ti'r fraint o gynllunio'r ganolfan newydd?' Ond doedd o ddim am ganmol gormod arno'i hun.

'Dyna fu un o fy swyddi i, ia. Dw i'n cofio llythyru hefo teulu Solomon Andrews ar y pryd, ac oeddan nhw wrth eu bodd bod yr un math o beth, ar ei newydd wedd, yn digwydd ym Mhwllheli.'

Bron yr unig arwyddion sy'n aros o fentrau Solomon Andrews ydi'r rhesi tai a gododd a Phont Solomon sydd o hyd yn dwyn ei enw. Ond roedd yn un o'r ychydig rai a wnaeth i galon Pwllheli guro'n gyflymach a newid gwedd a bywyd prifddinas Llŷn unwaith ac am byth.

Ond yn ddiwylliannol, Cynan oedd y bardd a'r impresario a osododd Bwllheli ar y map. Fe dalodd Pwllheli'r gymwynas yn ôl iddo yntau drwy roi iddo ryddfraint y dref a gosod plac ar fur Liverpool House, ei gartref, yn Stryd Penlan.

Un bore, mi fûm i'n sgwrsio am Cynan hefo'r Athro Gerwyn Wiliams a hynny ym Mhenlon Llŷn wrth Ffynnon Felin Bach. Y bore hwnnw roedd yna ddŵr yn dal yn y ffynnon ac ro'n innau'n fwy na pharod i wrando ar Gerwyn, sy'n arbenigwr ar hanes bywyd Cynan a'i gyfraniad, yn llenwi 'mhiser i.

'Fe ailagorwyd hon ym 1968. Bryd hynny, fe wahoddwyd Cynan, i'w hailagor hi'n swyddogol ac fel rhan o'r ddefod fe gafodd o yfad o ddŵr y ffynnon. Ma' yna ddŵr yn dal ynddi ond dydw i ddim yn siŵr, Harri, ydio'n iach i' yfad bora 'ma!'

'Ac mae o'n cyferio, wrth gwrs, at y ffynnon yma yn 'i bryddest.'

'Ma'r geiriau sy'n sôn am Ffynnon Felin Bach yn dŵad o'r bryddest Mab y Bwthyn a enillodd iddo'r Goron yn 1921. A'r bryddest honno sy'n rhoi Cynan ar y map ac yn sicrhau anfarwoldeb ar ei gyfar o.'

'A be am gynnwys y bryddest, Gerwyn?'

'Ma' rhan gynta'r bryddest yn sôn am ei fachgendod o ym Mhen Llŷn. Mae ganddo atgofion plentyn am y lle – mewn gwirionadd, atgofion am burdeb, daioni a symlrwydd bore oes. Mi roedd nain Cynan yn byw ym Mhenlon Llŷn ac

Elfed Gruffydd – awdur *Llŷn*, cyfres *Broydd Cymru* – wrth Ffynnon Felin Bach.

yn deud wrtho weithia, "'Ngwas i, ei di i fyny i ffynnon Felin Bach i nôl llond y pisar yma o ddŵr i ni gal panad o de go iawn. Mae o'n dipyn gwell na'r dŵr tap yma yn y tŷ".'

'A dydi Penlon Llŷn ddim ymhell iawn o'r fan yma. Ond un o bryddestau'r Rhyfal Mawr ydi Mab y Bwthyn?'

'Ma' pryddest Mab y Bwthyn, yn yr ail ran, yn sôn am yr hogyn ifanc yma o Ben Llŷn yn mynd wedyn i'r Rhyfal Byd Cynta lle mae o'n profi erchyllterau mawr ac yn gweld pethau dychrynllyd. Felly, mae'r cyferbyniad hwnnw gydag atgofion bore oes – y ddelfryd yma o burdeb a diniweidrwydd – wedi ei grynhoi yn y ddelwedd o Ffynnon Felin Bach yn y bryddest.'

'Ac at bwy, neu at ba fath o gynulleidfa roedd o'n anelu wrth ganu fel hyn?'

'Mae'r bryddest yn cyfleu'r profiad o ryfal mewn termau real i'r gynulleidfa gartra, oedd ddim yn gwbod be fasa fo'n ei olygu. Ond hefyd mae o'n cyfleu, yn effeithiol iawn, y profiad o ryfal i'r rhai oedd wedi profi rhyfal drostyn nhw'u hunain. Ma' llawer o gyn-filwyr wedi dweud am Mab y Bwthyn fod Cynan wedi dal eu profiad nhw ynddi, a ma' hynna'n gompliment mawr iddo fo o ystyried na doedd o ei hun ddim yn filwr. *Stretcher-bearer*, ac yn ddiweddarach, caplan oedd o, felly chafodd o ddim profiad milwr o'r rhyfal, ac eto mae cyn-filwr fel Ifan Gruffydd o Fôn yn dweud ei fod o wedi dal ei brofiad o yn y bryddest.'

Ond ers cenedlaethau – ymhell cyn i Cynan ganu'i faled i 'Largo o Dre Pwllheli' a fachodd forforwyn wrth bysgota – bu'r dref yn dibynnu'n drwm ar y môr am fywoliaeth i'w thrigolion. Bellach, ym mhen dwyreiniol yr harbwr, mae marina enfawr sy'n angori cychod moethus iawn. Unwaith eto, marchnata hamdden ydi'r nod a denu ymwelwyr i'r dref a'r cylch.

Un min nos, mi es i yno i gyfarfod aelodau Cymdeithas Hwylio Ieuenctid Pwllheli a'r Cylch, neu CHIPAC, yn paratoi i fynd allan i hwylio. Adran iau'r clwb oedd ar y traeth y noson honno. Gryn wyth ar hugain o forwyr selog, pob un â'i gwch bychan ac wrthi'n trimio'r hwyliau. A Chymraeg oedd yr iaith.

'O ble wyt ti'n dŵad? Pwllheli?'

'Yorkshire.'

'O Yorkshire? Be, dach chi fel teulu 'di symud yma i fyw?'

'Do. A dw i 'di dysgu Cymraeg'

'Wyt ti am ennill heno?'

'Dydw i ddim yn siŵr. Gobeithio.'

O ran ei fagwraeth, un o gefn gwlad Eifionydd ydi Eifion Owen, Cadeirydd y y Pwllgor Ieuenctid a darlithydd yng Ngholeg Meirion Dwyfor, ond aeth yr heli i'w waed.

'Siaradwch chi hefo rhywun sy'n deall rwbath am hwylio, ac ma' nhw'n cydnabod bod Pwllheli'n un o'r llefydd gora ym Mhrydain i hwylio, ac ella yn y byd. Be ydan ni'n neud yn y coleg ydi rhoi'r sgiliau ma' pobol ifanc 'u hangan, a gobeithio wedyn y byddan nhw'n cael gwaith yn lleol.'

Ar hyn o bryd, mae pethau'n edrych yn wir obeithiol. Mae yna ddatblygiad ar y gweill sydd yn werth dros wyth miliwn, i sefydlu canolfan digwyddiadau ac academi forwrol i hybu gweithgareddau a sgiliau morio.

Allan ar y môr hefo Eifion yn un o'r cychod pŵer, fedrwn i ddim llai na rhyfeddu at ofal a meistrolaeth yr hyfforddwyr a'r gofalwyr. Roedd yna warchod cyson a gorchymyn i sefyll neu i eistedd, i wyro i'r cyfeiriad yma neu'r cyfeiriad acw.

Pan oedd hi'n dechrau oeri ac yn lled dywyllu roedd y fflyd cychod hwyliau wedi'u bugeilio i mewn i'r harbwr yn braidd destlus. Roedd un wedi ennill ac un arall ymhell ar ei hôl hi – 'bai ar y gwynt' – ond pawb wedi mwynhau'r noson yn fawr.

Wedi cyrraedd yn ôl ac angori yn y Marina, roedd gen i un cwestiwn i'w ofyn i Eifion. 'Ro'n i'n sgwrsio ar y Maes, ddydd Merchar, hefo rhyw ddyn o Bwllheli 'ma – dyn dipyn o oed – ac mi ddeudodd o nad oedd y Marina yn ddim help i'r dre'i hun.'

'Yn anffodus, ma' 'na rai sy'n dal i feddwl felna. Na, ma' hwylio yn dŵad â thros filiwn o bunnau i mewn i'r economi leol, yn flynyddol. A pe baem ni'n tynnu'r Marina, a'r busnesion cysylltiol, allan o Bwllheli mi fydda Pwllheli yn dipyn tlotach.'

A dyna'r gwir. Pan godwyd gwersyll gwyliau Butlins ar gyrion Pwllheli wedi'r Ail Ryfel Byd yr ofn oedd y byddai'r ymwelwyr yn lladd y diwylliant a'r iaith. Ddigwyddodd hynny ddim. Yr un un ydi'r pryderon o hyd, mewn dyddiau gwahanol, ac mi fyddai Pwllheli a'r fro'n dlotach heb y gwerthoedd hynny hefyd.

Ym Mhwllheli ac ar Benrhyn Llŷn, tynnu torch ydi hi bellach rhwng cyflog byw a gwarchod yr iaith, rhwng plygu i'r drefn neu filwrio yn ei herbyn hi, rhwng ymfudo neu wneud y gorau o'r cyfleoedd sydd ar gael. Fel yr awgrymodd Gruffudd Parry yn ei glasur *Crwydro Llŷn ac Eifionydd*, gyda'i ddireidi nodweddiadol, 'Term arwyddocaol iawn ydyw "cadw fisitors", a glywir yn gyffredin. Y mae rhywbeth hoffus iawn yn yr agwedd sydd ynddo. Yr un fath â "chadw ieir" neu unrhyw beth arall sy'n talu.' Hynny ydi, y gwahaniaeth rhwng cadw er mwyn medru byw a dynwared er mwyn bod yn debyg. Hwyrach, mai dyna eitha'r frwydr.

Yn wreiddiol, y bwriad oedd dychwelyd i Lŷn i chwilio am fy ngwreiddiau. Ond rhywfodd, wedi oedi i feddwl, doedd y syniad ddim yn cydio. Fe'm magwyd i â'r gred fod gwreiddiau'n bethau cludadwy, i'w cario hefo mi i ble bynnag y byddwn i'n mynd. Gobeithio imi wneud hynny. Ond ym Mhen Llŷn yr heuwyd yr had ac yma y tyfodd y gwreiddiau hynny.

Wrth grwydro eilwaith o gwmpas Pen Llŷn, 'dw i wedi gwerthfawrogi o'r newydd harddwch y penrhyn, cyfoeth yr iaith a dyfnder y gwerthoedd a etifeddais drwy gael fy magu ar y darn hwn o dir. Dw i wedi gweld y pethau hyn yn gliriach nag erioed am imi ddŵad yma ar siwrnai benodol i'w hail ddarganfod nhw.

Gadael Pen Llŷn wnes i o ddewis, ac o orfod, byth i ddychwelyd yma i fyw. Mi fyddai brodor, mae'n debyg, wedi cynllunio'r daith yn wahanol a'i dehongli hi o safbwynt un na chododd erioed mo'i wreiddiau. Ond nid Pen Llŷn Harri Parri a fyddai hwnnw wedi bod. Ganddo fo neu hi y byddai'r adnabyddiaeth ddyfnaf, ond wyddai hwnnw neu honno ddim am yr 'ias a gerdd drwy'r cnawd' wrth brofi'r wefr o ddychwelyd.

Islaw ac Enlli'n dawel
a hen ofn y swnt yn hel
yn eigion, teimlaf ragor
a gweld mwy na gwlad a môr.
Yn y glaw'n ei gwylio hi
oedaf i weld pwy ydwi.

Meirion MacIntyre Huws

'Felly Lleyn ar derfyn dydd' â'r machlud dros Enlli.

CYDNABOD

Na, beth bynnag ddywed y Cyflwyniad, gwaith tîm ydi'r gyfrol hon. Hoffwn ddiolch yn arbennig i Cwmni Da am ei ymddiriedaeth a'i gefnogaeth nes peri fod cyfres deledu wedi bod yn bosibl. Wrth grwydro Llŷn yn gwmni bychan, am wythnosau bwy'i gilydd, tyfodd cyfeillgarwch rhyfeddol; diolch i'w profiad a'u medrusrwydd bu bron imi lithro i gredu, un pnawn, y medrwn i fod yn seleb! Ond heb anghofio, hefyd, y rhai fu'n troi'r milltiroedd o ffilm a'r babel lleisiau'n benodau taclus.

Cyn belled ag mae'r gyfrol yn bod, hanner y stori fûm i. Rhaid imi enwi Mike Harrison, y gŵr camera. Fe wyddai Mike i'r eiliad pryd roedd gwawr ar dorri neu fachlud ar ddiffodd, pryd roedd gwyrth ar ddigwydd a sut i ddangos pobl ar eu gorau. A diolch i'r beirdd am gael benthyg eu cerddi. Roedd y golygfeydd yno'n rhad ac am ddim ond rhodd na allaf ddiolch yn ddigonol amdani fu ewyllys da pobl Pen Llŷn.

Fy niolch i Wasg y Bwthyn am fentro cyhoeddi'r gyfrol hon eto. Bu Cyngor Llyfrau Cymru'n eithriadol o hael eu cefnogaeth a chefais, o'r herwydd, gyfarwyddyd Mairwen Prys Jones, Sian Northey a'r dylunydd, Tim Albin. Fel sy'n arferol bellach, bu W. Gwyn Lewis ac Arwel Jones mor garedig â darllen y gwaith ar fy rhan, cywiro a gloywi yn ôl yr angen. Diolch i chithau.

Harri Parri

Hoffai'r awdur a'r wasg gydnabod
y ffynonellau isod:

Meirion MacIntyre Hughes:
'Penrhyn Llŷn', *Y Llong Wen* (Carreg Gwalch)
'Ynys', *Pigion Talwrn y Beirdd 9* (Gwynedd)

Myrddin ap Dafydd:
'Pen draw'r tir', *Pen Draw'r Tir* (Carreg Gwalch)
'Dwy Ffordd', *Cyfansoddiadau a Beirniadaethau Eisteddfod Genedlaethol Cymru Sir Benfro, Tŷ Ddewi 2002*

Gareth Williams:
'Penrhyn Llŷn', *Pigion Talwrn y Beirdd 8* (Gwynedd)

Iwan Llwyd:
'Penrhyn Llŷn', *Cywyddau Cyhoeddus II* (Carreg Gwalch)

Nid yw'r lluniau ar y tudalennau canlynol wedi eu tynnu
gan Mike Harrison: 6, 15, 22, 32, 45, 64, 85 a 96.